재미로 시작해, 지식으로 마무리하는 해부학 수업

의대생들의 수다

이재호 교수와 의대생 문혁준 · 안준형 · 이정현 · 이준채 함께 지음

아침
사과

차례

제3장　너의 얼굴을 보여줘

프롤로그

대표저자

**계명대학교 의과대학
해부학교실 이재호**

해부학은 정상 상태에 있는 인체의 형태와 구조를 육안적으로 연구하는 학문입니다. 의과대학생들에게 해부학은 생물학이나 화학 같은 기초과학을 거쳐, 처음으로 인체를 배운다는 점에서 매우 중요합니다. 특히 의학 용어를 처음 접하게 되며 방대한 학습량을 소화해야 합니다. 용어들은 당시 과학자들이 사회적, 문화적 배경에서 영감을 받아 만든 것들로, 중세 수도사들의 모양에서 유래한 승모근(등세모근, trapezius)부터 왕관 모양을 딴 관상동맥(coronal artery)까지 그 유래가 다양합니다. 하지만 해부학 수업 시간에는 이러한 배경을 자세히 설명할 시간이 부족해, 학생들은 어쩔 수 없이 암기에 의존해야 합니다.

모든 학문에는 그 역사와 발전 과정에서 탄생한 다양한 비하인드 스토리가 있습니다. 이러한 배경을 알고 해부학을 배우면 다소 어렵게 느껴지는 해부학도 친근하게 다가올 수 있습니다. 또한 해부학은 신체를 다루는 만큼 경건함과 생명에 대한 경외심이 필요한 학문입니다. 많은 의과대학에서 의료 인문학을 통해 의과대학생들에게 윤리와 협동, 사회적 책무성 등 다양한 인문학적 소양을 기르기 위해 노력하고 있습니다. 이런 배경에서 학생들이 스스로 의학 용어의 역사와 의미를 능동적으로 탐구하고 진정한 뜻을 깨닫는다면 더욱 뜻깊은 배움이 되지 않을까 생각합니다. 학생의 시선에서 인체와 해부학을 바라보고 다양한 의견을 나눌 때, 우리 몸이 더 가깝고 소중하게 다가올 것입니다. 또한 이러한 학생들이 앞으로 의사가 되어 지역사회를 넘어 인류 건강에 대한 관심과 사랑을 갖기를 바랍니다.

이 책은 독자들이 흥미롭게 읽을 수 있도록 해부학의 전반적인 내용을 간단히 소개한 뒤, 주요 계통별로 개요를 정리하고, 의대생들이 관심 있는 특정 주제를 중심으로 수다처럼 풀어낸 글들로 구성했습니다. 이 책을 통해 독자들이 해부학의 역사와 다양한 이야기에 대해 깊이 성찰하고, 의학적 지식을 넘어선 인사이트를 얻기를 기대합니다. 바쁜 학업 중에도 저서 작업에 정성을 다해준 학생들, 그리고 출판을 도와주신 범문에듀케이션 관계자분들께 깊은 감사의 마음을 전합니다.

이정현

우리 몸의 각 부위에는 다양한 이름이 붙어 있습니다. 외워야 할 이름이 많아 힘들게 느껴질 때도 있지만, 각 이름에 담긴 사연을 알게 되면 오히려 흥미로움을 느끼게 됩니다. 누군가의 이름을 알고 있다면 단순히 아는 사이일 뿐이지만, 그 사람의 이야기를 알게 되면 친구가 된다고 생각합니다. 이 책에 담긴 이야기를 통해 우리 몸의 구조들과 단순히 아는 사이를 넘어, 그들과 속깊은 이야기를 공유하는 진정한 친구가 된다면 좋겠습니다.

문혁준

누구나 한 번쯤 궁금해했을 법한 질문들에 답을 찾아가는 과정에서 자연스럽게 이야기와 글이 만들어진 것 같습니다. 책을 쓰며, "사연 없는 사람은 없다"는 말처럼 우리 몸의 어느 장기에도 사연이 없지 않다는 생각이 들었습니다. 이 책에 담긴 우리 몸에 대한 이야기를 통해, 마치 가깝고도 먼 이웃 같은 우리 몸과 더욱 친해질 수 있는 계기가 되었으면 좋겠습니다.

안준형

살면서 품어왔던 생각들을 담아 책을 써보고 싶다는 소망이 언제부턴가 제 마음 한 구석에 자리 잡고 있었습니다. 운이 좋게도 교수님과 친구들과 함께 의견을 나누며 글을 쓰는 첫걸음을 뗄 수 있게 되어 정말 기쁩니다. 의대 6년 동안 공부하며 느꼈던 궁금증을 인문학적인 시각으로 풀어내고자 노력했습니다. 다양한 주제를 함께 다루며 풍성한 내용으로 책을 완성

해 준 친구들, 그리고 이 글들을 한 권의 소중한 책으로 엮어 주신 이재호 교수님과 출판사 관계자분들께 깊은 감사를 드립니다. 무엇보다 이 책을 찾아주신 독자님들께 한없이 감사한 마음입니다.

이준채

저는 평소 책을 좋아해서 언젠가 꼭 책을 써보고 싶다는 목표가 있었습니다. 이번 기회에 친구들과 교수님과 함께 즐겁게 책을 쓰며 그 꿈을 이루게 되어 정말 행복했습니다. 의학과 인문학은 겉보기엔 서로 먼 거리에 있는 것처럼 느껴지지만, 사실은 아주 가까운 곳에 함께 존재하고 있었습니다. 이 책은 다소 어렵고 지루하게 느껴질 수 있는 의학을 재미있는 인문학적 관점에서 새롭게 조명해 보았습니다. 이 책이 누군가에게는 작은 도움을, 또 다른 누군가에게는 재미와 흥미를, 그리고 또 다른 분들에게는 새로운 꿈과 영감을 선물할 수 있기를 진심으로 소망합니다.

1장

의대생의 해부학 교실

해부학의 기원

해부학(anatomy)은 '완전히(ana=up) 자르다(tomy)'라는 의미에서 인체를 잘라서 면밀한 분석한다는 뜻이다. 친숙한 용어로 만화 주인공 아톰 또한 더 이상 자를 수(tom, 자르다) 없는(a-, 아니다) 단위인 원자(atom)에서 유래되었다. 해부학의 아버지 베살리우스의 해부를 시작으로 중세 르네상스 시대를 거치며 해부학은 집대성되면서 근대의학의 문을 열었다. 수많은 해부학자의 노력으로 인체의 지도가 완성되면서 더 이상 발전할 것이 없는 학문으로 여겨지기도 하였다. 하지만 새로운 수술이나 술기가 개발되면서 해부학은 이에 맞추어 끊임없이 발전하고 있다.

해부학적 자세(anatomical position)

인체의 부위와 구조에 대해 명료하게 표시하고, 통일되게 기술하기 위해 '해부학적 자세'를 기준으로 하여 해부학용어를 만들었다. 그림과 같이 양발을 모으고 똑바로 서서 얼굴과 눈은 수평 위치에서 정면을 바라보고 양팔은 몸통 옆으로 내려 손바닥이 앞을 향하도록 한 자세이다.

이 자세를 기준으로 하여 상대적인 위치로 혈관이나 근육의 이름이 명명되었다. 두 동맥이 비슷하게 주행한다면, 안쪽과 바깥쪽 혹은 위쪽과 아래쪽 등으로 나누어 이름을 붙이는 것이다. 대표적인 예로 목의 동맥인 속목동맥과 바깥목동맥으로 나누어지는 것이 있다.

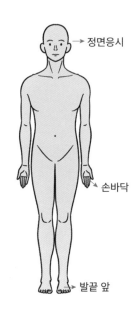

정면응시

손바닥

발끝 앞

해부학적 자세 사진

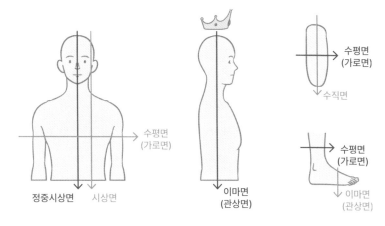

수평면
(가로면)

수직면

수평면
(가로면)

정중시상면　시상면

이마면
(관상면)

이마면
(관상면)

3차원적인 절단면

몸의 단면

인체는 가상의 3개의 단면과 축으로 나눌 수 있다. 흔히 '3차원 속에 살고 있다'는 말 그대로 3개의 방향으로 인체를 잘라서 자른 자리, 즉 자른 면(단면, section)을 보는 것이다. 자르는 방향이 가로(횡)인 경우를 '가로단면(횡단면)'이라고 하며, 영어로는 'transverse section'이다. 이 단면을 기준으로 몸을 위와 아래로 나눌 수 있다. 가로단면에 대해 어떤 구조물의 장축(긴축)을 따라서 세로로 자른 면을 '세로단면' 혹은 '종단면'(longitudinal section)'이라고 한다. 같은 세로 방향의 단면이지만 몸의 '정중면(median plane)', 즉 몸을 세로 앞뒤 방향으로 나란히 지나면서 몸을 좌우로 나누는 단면을 '시상단면' 혹은 '시상면(sagittal section)'이라고 한다. 한편 몸의 정중면에 직각으로 세로 좌우

방향으로 나란히 지나면서 몸을 앞뒤로 나누는 단면을 '관상단면' 혹은 '관상면(coronal section)'이라고 한다.

'관상면(corona)'은 왕관을 의미하는 'crown'에서 유래했다. 흔히 왕관을 머리에 쓰는 경우, 왕관이 머리 위에 놓이는 부위이기 때문에 이 부위를 '관상봉합(coronal suture)'이라고 하며, 이와 같은 방향의 단면을 관상면으로 명명하였다.

우리 몸에서 왕관 모양을 하고 있는 부분이 또 하나 있는데, 바로 심장의 혈관이다. 혈관조영술로 심장의 혈관을 보면 마치 왕관같이 생겨서 이 동맥을 '관상(冠狀)동맥(심장동맥, coronary artery)'이라고 한다. 관상동맥은 심장 근육에 산소와 혈액을 공급하는 생명에 중요한 동맥으로 이곳이 좁아지면 심장 근육으로 혈액 공급이 줄어서 협심증과 심근경색증을 생겨서 흉통(가슴 통증)이 유발된다.

시상면(sagittal)은 화살(arrow)를 뜻하는 라틴어 'sagitta'에서 유래하였다. 화살을 쏘기 위해 몸을 비틀었을 때의 방향과 시상면 및 머리의 시상봉합이 같기 때문이다.

화살과 연관 깊은 별자리인 사수자리(궁수자리)를 'sagittarius'라고도 한다.

해부학용어를 명명하는 데 있어 특정 구조물에 대한 상대적인 위치나 방향을 포함하면 해부학용어 속에 그 위치와 방향, 기능 등을 표현할 수 있다.

시상면과 사수자리

의대생들의 수다

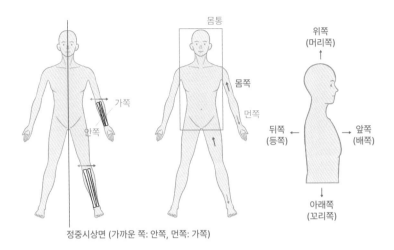

정중시상면 (가까운 쪽: 안쪽, 먼쪽: 가쪽)

내측 (medial)	정중면에 보다 가까운 쪽	외측 (lateral)	정중면에 보다 먼 쪽
앞 (anterior)	앞면, 배쪽(ventral) 에 가까운 쪽	뒤 (posterior)	뒤면, 등(dorsal)에 가까운 쪽
위 (superior)	머리에 보다 가까운 쪽	아래 (inferior)	발에 보다 가까운 쪽
몸쪽 (proximal)	몸통에 가까운 부위	먼쪽 (distal)	몸통에 먼 부위
얕은 (superficial)	표면에 가까운 부분	깊은 (deep)	표면에서 먼 부위
속 (internal)	가운데가 비어있는 구조물에서 가운데 공간쪽	겉 (external)	가운데가 빈 구조물의 표면 쪽

다른 용어에 비해 lateral은 친숙하지 않지만, LA갈비를 생
각하면 쉽게 이해할 수 있다. 우리가 맛있게 먹는 요리 중 하나

인 갈비는 소나 돼지의 갈비뼈(rib)를 지칭하지만, 주로 먹는 것은 갈비뼈 사이에 있는 갈비사이근육(intercostal muscle)을 말한다. 그중에서 LA갈비는 미국 로스앤젤레스(Los Angeles)에 사는 교민들이 많이 먹어서 생겼다고 한다. 하지만 다른 이론에 의하면 갈비를 뼈와 함께 자르기 때문에, 뼈의 '측면'을 뜻하는 lateral axis의 약자인 LA를 따서 LA갈비가 되었다는 것이다. '이태리 타올'이 이탈리아에서 온 것이 아닌 것과 같다.

몸의 움직임

몸의 움직임은 크게 네 가지로 나눌 수 있다. 우선 굽힘(굴곡, flextion)과 폄(신전, extension)이다. 관절의 가로축을 중심으로 각을 작게 하는 운동이 굽힘이고, 각을 넓히는 운동이 폄이다. 비정상적으로 심하게 펴는 운동을 젖힘(과신전, hyperextension)이라고 한다. 최근 "플렉스(flex) 해버렸어"라는 말이 유행인데, 값비싼 물건을 구매한 후 자랑하고 뽐낼 때 쓰는 말이다. 이때 플렉스는 준비운동 정도로 '몸을 풀다'라는 뜻으로, 아주 가뿐한 일이라는 뜻이다. 운동선수들이 덩크슛과 같이 화려한 장면을 보인 후, 팔꿈치 관절을 굽히는 모습이 바로 이것이다. 즉, 비싼 물건을 사는 것이 몸풀기 운동 정도로 쉬운 일이라는 의미에서 '플렉스 해버렸다'라는 말이 나온 것이다.

두 번째는 벌림(abduction)과 모음(adduction)이다. 몸의 장축이나 정중면을 향해 가까워지는 운동이 모음이고, 멀어지는 운동이 벌림이다. 손은 가운뎃손가락이, 발은 둘째발가락이 기준인 장축이 된다.

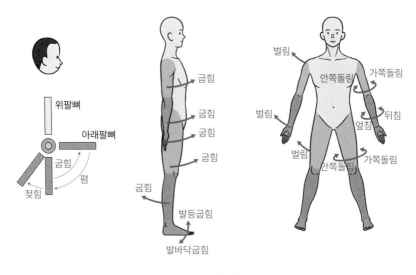

관절의 운동

세 번째는 돌림(rotation)이다. 관절에서 장축을 중심으로 나타나는 돌리는 운동으로, 앞면이 안쪽으로 돌아가면 안쪽돌림(medial rotation), 바깥쪽으로 돌아가면 가쪽돌림(lateral rotation)이다.

네 번째는 엎침(pronation)과 뒤침(supination)이다. 아래팔에는 뼈가 2개인데, 안쪽돌림 운동이 엎침이고 가쪽돌림 운동이 뒤침이다. 이 용어는 상당히 낯설고 헷갈리기 때문에 재미있는 영화의 한 장면을 이야기하며 다음과 같이 기억하자. 뒤침(supination)은 마치 손으로 수프(soup)를 퍼먹는 동작을 해보면 쉽게 이해할 수 있다. 반면, 엎침(pronation)은 영화 '타짜'에서 아귀가 손모가지를 잡던 장면을 상상하자. 설마 그럴 리는 없겠지만, 영화 속 타짜가 멋있어 보이더라도 인생이 엎어질 수 있으므로 도박은 무조건 멀리하길 바란다.

의대생들의 요약

해부학의 기본 용어

- 해부학(anatomy)은 '완전히(ana=up) 자르다(tomy)'라는 의미에서 인체를 잘라서 면밀한 분석한다는 뜻이다.
- '해부학적 자세'란 양발을 모으고 똑바로 서서 얼굴과 눈은 수평 위치에서 정면을 바라보고 양팔은 몸통 옆으로 내려 손바닥이 앞을 향하도록 한 자세이다. 해부학용어는 해부학적 자세를 기준으로 만들었다.
- 몸의 단면에는 가로단면, 관상면, 시상면으로 세 단면이 있다.
- 몸의 움직임에는 굽힘과 폄, 벌림과 모음, 돌림, 엎침과 뒤침이 있다.

뼈대

뼈대계통(skeletal system)은 몸의 형태를 유지하고 장기를 보호하며, 각 뼈에 붙은 근육을 이용해서 관절의 운동을 한다. 또한 뼈 안의 골수는 혈액세포를 만들고, 칼슘과 같은 무기질을 저장한다. 사람은 성인을 기준으로 206개의 뼈가 있는데, 몸의 중심과 축을 이루는 80개의 몸통뼈대(머리, 척추, 가슴 부분, axial skeleton)와 팔다리를 형성하는 126개의 팔다리 뼈대 (appendicular skeleton)로 구성된다.

척주(vertebral column)

척주는 몸통의 등 쪽에 26개의 척추뼈가 관절하여 하나의 기둥을 형성한 것이다. 척주에서 칼럼(column)은 보통 신문이나 잡지의 칼럼, 즉 정기 기고를 말한다. 원래 칼럼은 그리스-로마 건축물의 원형 기둥을 가리키는데, 신문에 칼럼이 기둥처럼 위아래로 길게 실리기 때문이다. 척추뼈(vertebrae)가 기둥처럼 길게 관절되어 있어 이를 전체적으로 통틀어서 한자 기둥 주(柱)를 사용하여 척주(脊柱, vertebral column)라고 한다. 척추와 척주, 척수(spinal cord)를 확실히 구분하도록 한다.

척주는 7개의 목뼈(경추, cervical vertebrae)와 12개의 등뼈(흉추, thoracic vertebrae), 5개의 허리뼈(요추, lumbar vertebrae),

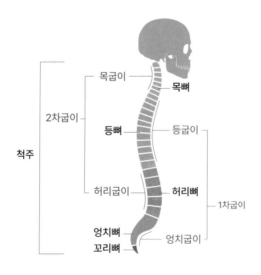

척주(vertebral column)

그리고 엉치뼈(천추, sacrum)와 꼬리뼈(미추, coccyx)로 구성되어 있다. 척주는 전체적으로 등 쪽으로 볼록한데(1차굽이), 머리를 가누고 걷기 시작하면서 목과 허리 부분이 앞으로 볼록하게 변한다(2차굽이). 고대 이집트의 그림을 보면 제사장이나 지도자들이 동물의 엉치뼈를 머리에 쓰고 있는 것을 볼 수 있다. 이 위치에 생식기가 들어있고, 생명이 잉태되기 때문에 이 뼈를 신성하게 여기는 것이다. 따라서 신성한(scared), 희생(sacrifice) 등과 같은 용어와 엉치뼈(sacrum)는 같은 어원을 가지고 있다.

고대 이집트의 그림 속의 엉치뼈

척추뼈의 기본형태

척추뼈의 모양은 위치에 따라 서로 다르지만, 기본 구성은 비슷하며, 등뼈를 기본적인 형태로 간주한다. 척추뼈의 앞쪽에는 척추뼈몸통(추체, vertebral body)이 있고, 여기에서 뻗어 나온 고리뿌리(추궁근, pedicle)와 고리판(추궁판, lamina)이 있다. 양쪽에서 나온 고리판은 등 쪽에서 합쳐져서 가시돌기(극돌기, spinous process)를 형성한다. 치과에서 미관상의 목적으로 치아에 얇은 판(lamina)을 붙이는 것을 라미네이트(laminate)라고 하는데, 고리판(lamina)과 어원이 같다. 척추뼈 중간에는 척추뼈구멍(vertebral foramen)이 있고, 위아래 척추뼈가 연결되

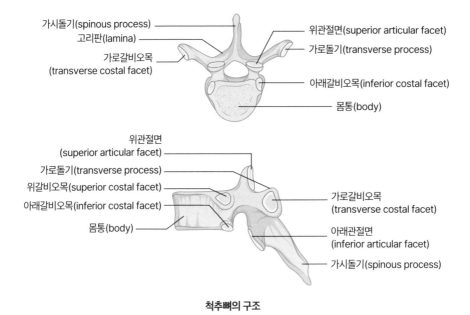

척추뼈의 구조

면서 척추뼈구멍 역시 하나의 긴 통로가 되는데 이를 척주관 (vertebral canal)이라 하고, 이곳으로 척수(spinal cord)가 지 난다.

목뼈

첫 번째 목뼈는 고리뼈(환추, atlas)라고 하는데, 몸통이 없고 고 리 모양을 하고 있다. 이 뼈는 머리뼈를 직접 관절하고 있기 때 문에, 머리를 받들고 있는 모양이 그리스-로마 신화에 나오는 거신(巨神) 아틀라스(Atlas)가 어깨로 하늘을 떠받들고 있는 모 습과 같아서 이름을 아틀라스로 명명하였다. '티타노마키아'라 는 티탄족과 올림포스 신들의 전쟁에서 아틀라스는 티탄족의 반란에 가담하여 제우스를 비롯한 올림포스의 신들과 싸웠다. 결국, 제우스의 승리로 전쟁이 끝나고 아틀라스는 그 벌로 하 늘(우라노스)을 어깨로 떠받들고 서 있는 가혹한 벌을 받았다. 세계지도를 제작한 메르카토르가 완성된 지도의 표지를 아틀 라스라고 하면서 지도 자체를 아틀라스라고 명명했고, 대서양 을 Atlantic ocean이라고 부르게 되었다. 아프리카의 아틀라스 산맥도 아틀라스와 연관이 있다. 신화에 따르면, 페르세우스에 의해서 아틀라스가 메두사의 머리를 보고 돌로 변해서 된 것이 아프리카의 아틀라스산맥이기 때문이다.

둘째 목뼈는 아틀라스와 중쇠(pivot joint)을 이루어 목을 좌우로 돌리기 때문에 중쇠뼈(축추, axis)라고 한다. 둘째 목뼈의 몸통 위로 솟아 있는 치아돌기(치돌기, dens)가 고리뼈와 관절하여 운동한다. 치과의사를 dentist, 치과를 dental clinic이라 하듯이 이빨처럼 솟은 이 돌기를 dens라고 한다.

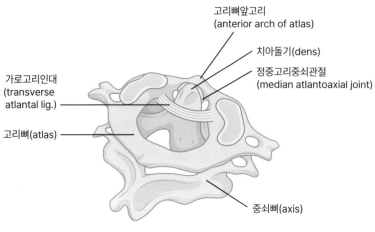

고리뼈앞고리
(anterior arch of atlas)

치아돌기(dens)

정중고리중쇠관절
(median atlantoaxial joint)

가로고리인대
(transverse
atlantal lig.)

고리뼈(atlas)

중쇠뼈(axis)

고리뼈와 중쇠뼈

팔뼈

팔은 빗장뼈(clavicle), 어깨뼈(scapula), 위팔뼈(humerus), 자뼈(ulna), 노뼈(radius), 손목뼈(carpal bone), 손허리뼈(metacarpals), 손가락뼈(phalanges)로 구성되어 있다. 위팔은 arm인데, 동물에서 앞발은 무기와 같이 사용되기 때문에 군대(army)와 같은 어원을 쓴다. 또한 적의 습격을 알리는 경보에서 기원하여 알람(alarm) 또한 같은 어원을 쓰고 있다. 팔꿈치관절을 elbow joint라고 하는데, 팔의 근육을 보이려면 활(bow)처럼 관절을 굽혀야 하기 때문이다. 허리를 숙여서 절하는 것을 bow라고 하는 것도 같은 의미이다. Attension! Bow!

손목관절은 wrist joint인데, 자뼈와 노뼈, 2개의 뼈가 있어서 엎침과 뒤침 운동이 가능하다. Wring은 비틀다는 뜻으로 wrong(잘못된, 틀린)에서 유래하였고, 스포츠 경기 중 레슬링(wrestling)과 피부의 주름(wrinkle)도 여기서 파생한 것이다.

손가락뼈는 발뼈에 비해 길어서 마치 긴 창과 같다. 고대 그리스의 보병대가 팔랑크스(phalanx)라는 방진을 썼는데, 큰 방패 뒤에서 긴 창을 이용하는 밀집대형으로 손가락뼈의 모습이 이와 비슷하다. 팔(arm)이 무기(army)인 이유가 손에 긴 창

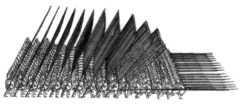

그리스의 팔랑크스 전법

(팔랑크스)을 포함하고 있어서인가 보다.

위팔뼈(humerus)는 '유머가 있다'는 humorous에서 기원하여 funny bone이라고도 불린다. 위팔뼈의 팔꿈치 부분 밑으로 자신경(ulnar nerve)이 지나가기 때문에 이 부위를 부딪치면 아래팔이 찌릿해진다. 이런 상황에 본인은 아프지만, 그 모습을 본 주변 사람들은 웃기 때문에 웃긴 뼈가 되었다.

한편, 자신경이 지나가는 방향에 있는 뼈가 자뼈(ulna)이다. 아래팔에는 자뼈와 노뼈(radius)가 있는데, 자뼈는 길이의 척도가 되는 뼈로, 척(尺)골이라고도 한다. 정확한 자가 생산되기 전에는 남녀노소 상관없이 길이가 비슷한 자뼈가 길이를 재는 자로 쓰였다. 자뼈는 평균 약 23센티미터 정도 되는 길이로 키가 8척이라고 하면 184센티미터가 된다.

노뼈는 엎침과 뒤침을 하면 반원을 그리며 운동하기 때문에 방사선을 뜻하는 radius에서 유래하였다. 모양이 배에서 쓰는 노와 비슷하여 노뼈, 요(橈)골이

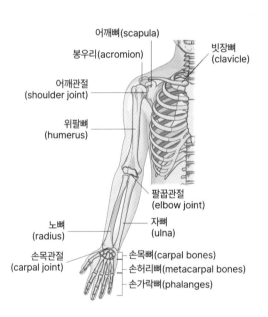

어깨뼈(scapula)
봉우리(acromion)
어깨관절(shoulder joint)
위팔뼈(humerus)
빗장뼈(clavicle)
노뼈(radius)
손목관절(carpal joint)
팔꿈관절(elbow joint)
자뼈(ulna)
손목뼈(carpal bones)
손허리뼈(metacarpal bones)
손가락뼈(phalanges)

팔의 뼈

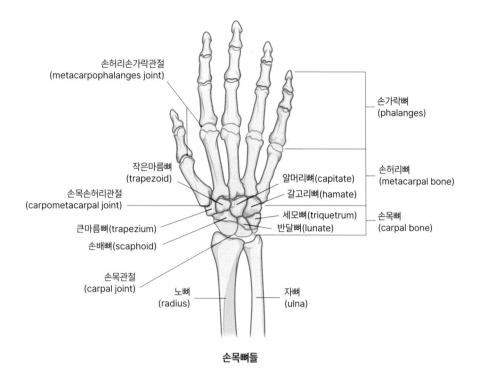

손허리손가락관절
(metacarpophalanges joint)

손가락뼈
(phalanges)

작은마름뼈
(trapezoid)

알머리뼈(capitate)
갈고리뼈(hamate)

손허리뼈
(metacarpal bone)

손목손허리관절
(carpometacarpal joint)

세모뼈(triquetrum)
반달뼈(lunate)

손목뼈
(carpal bone)

큰마름뼈(trapezium)

손배뼈(scaphoid)

손목관절
(carpal joint)

노뼈
(radius)

자뼈
(ulna)

손목뼈들

라고 한다. 수학에서 반지름 R이 바로 이 radius이다.

손목뼈(carpal bone)는 갈고리뼈(hamate), 알머리뼈(capitate), 작은마름뼈(trapezoid), 큰마름뼈(trapezium), 콩알뼈(pisiform), 세모뼈(triquetrum), 반달뼈(lunate), 손배뼈(scaphoid)로 구성되어 있는데, 앞 글자를 따서 '호시탐탐파트라슈(H,C,T,T,P,T,L,S) 혹은 호시탐탐포트리스'라고 암기하였다.

반달뼈(lunate)와 호텔 델루나
(출처: tvN '호텔 델루나' 공식 포스터, 2019)

아이유가 나온 '호텔 델루나'라는 드라마에서 luna는 달의 신을 말하는데, 반달뼈는 모양이 반달과 비슷하여 명명된 것이다. 알머리뼈는 손목뼈 중 가장 크며, 사람의 머리(cap)모양과 같아서 알머리뼈(capitate)라고 부른다. 손배뼈는 배 모양으로 배 주(舟), 형상 상(狀)이란 한자를 써서 주상골이라고도 하며, 손을 뻗치며 넘어질 때 골절이 잘 생기는 부위이다.

다리뼈

다리는 볼기(hip)를 형성하는 골반뼈(pelvis), 넙다리뼈(femur), 정강이(tibia), 종아리뼈(fibula), 발목뼈(tarsal bone), 발허리뼈(metatarsals), 손가락뼈(phalanges)로 골격을 이루고 있다. 다리를 leg라고 하는데, 운동용으로 입는 몸에 딱 붙는 바지인 레깅스(leggings)라는 용어가 여기서 유래했다. 넙다리뼈가 있는 부위를 대퇴부(허벅지, thigh)라고 한다. 유명 치킨 프랜차이즈

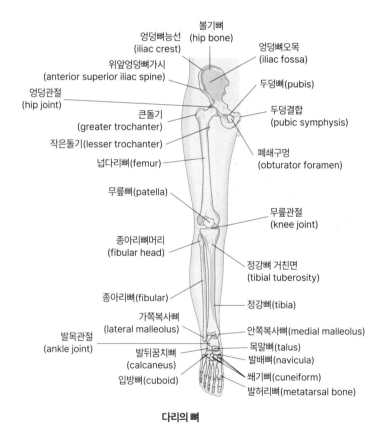

엉덩뼈능선 (iliac crest)
볼기뼈 (hip bone)
엉덩뼈오목 (iliac fossa)
위앞엉덩뼈가시 (anterior superior iliac spine)
두덩뼈(pubis)
엉덩관절 (hip joint)
큰돌기 (greater trochanter)
두덩결합 (pubic symphysis)
작은돌기(lesser trochanter)
폐쇄구멍 (obturator foramen)
넙다리뼈(femur)
무릎뼈(patella)
무릎관절 (knee joint)
종아리뼈머리 (fibular head)
정강뼈 거친면 (tibial tuberosity)
종아리뼈(fibular)
정강뼈(tibia)
가쪽복사뼈 (lateral malleolus)
안쪽복사뼈(medial malleolus)
발목관절 (ankle joint)
목말뼈(talus)
발뒤꿈치뼈 (calcaneus)
발배뼈(navicula)
쐐기뼈(cuneiform)
입방뼈(cuboid)
발허리뼈(metatarsal bone)

다리의 뼈

메뉴 중 싸이버거가 닭의 넙다리 부위 근육을 사용한 것과 같은 용어이다. 참고로 가수 싸이(psy)는 싸이버거와 상관없으며, 엽기적인 이미지로 사이코(psycho)라는 뜻에서 이름을 지었다.

정강이뼈는 경(脛)골이라고 하며, 동물의 경골로 피리를 만들어 썼기 때문에 pipe 혹은 flute를 뜻하는 tibia를 정강이뼈로 명명하였다. 반면 종아리뼈는 핀과 같이 정강이뼈에 걸쳐 있다고 해서 브로치의 바늘이나 핀을 의미하는 fibula라고 부른다. 고정이나 부착을 뜻하는 fix나 affixture와 어원이 같다.

동물의 경골로 만든 피리

bee's knees

골반과 넙다리뼈 사이의 관절은 고관절(hip joint), 그 밑의 무릎관절은 knee joint라고 한다. 영어표현 중 bee's knees가 있는데 이는 '가장 좋은 것, 혹은 매우 뛰어난 사람'이라는 뜻

의대생들의 수다

이다. 꿀벌이 달달한 꽃가루를 뭉쳐서 무릎의 털에 붙여서 운반
한다고 해서 생긴 용어로 로얄제리처럼 매우 좋은 것을 말한다.
칵테일 중에서도 bee's knees가 있으니 꼭 한 번 맛보기를 권
한다.

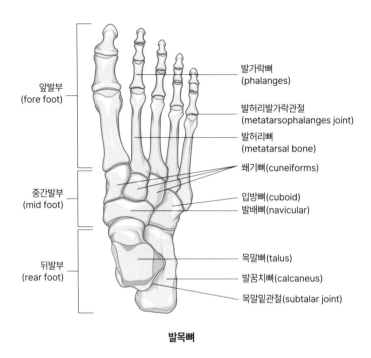

발목뼈

발목관절(ankle joint)은 족관절이라고도 하며, 다리와 발이
연결되는 부위이다. 여기에는 발목뼈(tarsal bone)가 연결되는
데, 먼저 가장 큰 것이 발꿈치뼈(calcaneus)이다. 발의 뒤꿈치에
딱딱하게 부딪히는 부위로 칼슘(calcium)의 결정체와 같은 부
위이다. Calculus는 자갈을 뜻하는데, 고대 로마에서 이런 자갈

이나 돌멩이로 계산했기 때문에 계산(calculate)이라는 용어도 칼슘에서 기원하였다. 그 외 목말뼈(talus), 입방뼈(cuboid), 안쪽 쐐기뼈(medial cuneiform), 중간쐐기뼈(intermediate cuneiform), 가쪽쐐기뼈(lateral cuneiform), 발배뼈(navicular)가 있다. 발배뼈는 발에 있는 배 모양의 뼈란 뜻으로, 해군(navy)과 같은 어원을 쓴다. 해군에게 항로가 중요하기 때문에, 이를 바탕으로 내비게이션(배, navis)+(움직임, agere)도 유래되었다.

의대생들의 요약

뼈대계통

- 뼈대계통(skeletal system)은 몸의 형태를 유지하고 장기를 보호하며, 각 뼈에 붙은 근육을 이용해서 관절의 운동을 한다.
- 사람은 성인을 기준으로 206개의 뼈가 있는데, 몸의 중심과 축을 이루는 80개의 몸통뼈대(머리, 척추, 가슴 부분, axial skeleton)와 팔다리를 형성하는 126개의 팔다리 뼈대(appendicular skeleton)로 구성된다.
- 사람의 주요 뼈로는 척추뼈, 목뼈, 팔뼈, 다리뼈 등이 있다.

몸의 뼈대 (앞면)

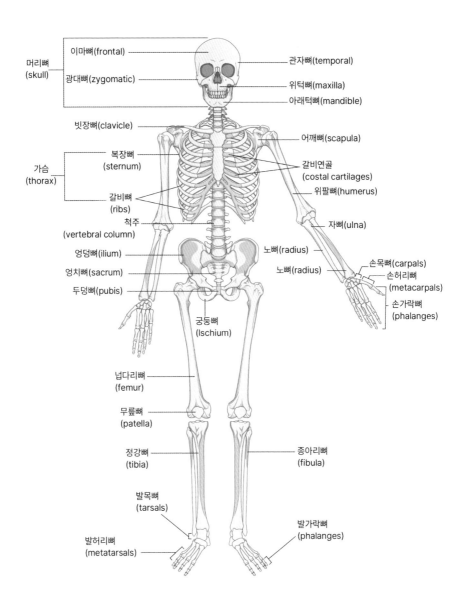

머리뼈
(skull)
- 이마뼈(frontal)
- 광대뼈(zygomatic)
- 관자뼈(temporal)
- 위턱뼈(maxilla)
- 아래턱뼈(mandible)

빗장뼈(clavicle)
어깨뼈(scapula)

가슴
(thorax)
- 복장뼈 (sternum)
- 갈비연골 (costal cartilages)
- 위팔뼈(humerus)
- 갈비뼈 (ribs)

척주 (vertebral column)
자뼈(ulna)

엉덩뼈(ilium)
노뼈(radius)
엉치뼈(sacrum)
두덩뼈(pubis)
노뼈(radius)

손목뼈(carpals)
손허리뼈 (metacarpals)
손가락뼈 (phalanges)

궁둥뼈 (Ischium)

넙다리뼈 (femur)

무릎뼈 (patella)

정강뼈 (tibia)
종아리뼈 (fibula)

발목뼈 (tarsals)

발허리뼈 (metatarsals)
발가락뼈 (phalanges)

몸의 뼈대 (뒷면)

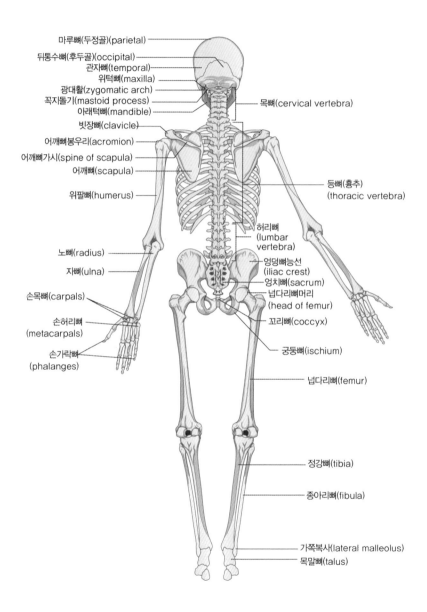

마루뼈(두정골)(parietal)
뒤통수뼈(후두골)(occipital)
관자뼈(temporal)
위턱뼈(maxilla)
광대활(zygomatic arch)
꼭지돌기(mastoid process)
아래턱뼈(mandible)
빗장뼈(clavicle)
어깨뼈봉우리(acromion)
어깨뼈가시(spine of scapula)
어깨뼈(scapula)
위팔뼈(humerus)
노뼈(radius)
자뼈(ulna)
손목뼈(carpals)
손허리뼈(metacarpals)
손가락뼈(phalanges)

목뼈(cervical vertebra)
등뼈(흉추)(thoracic vertebra)
허리뼈(lumbar vertebra)
엉덩뼈능선(iliac crest)
엉치뼈(sacrum)
넙다리뼈머리(head of femur)
꼬리뼈(coccyx)
궁둥뼈(ischium)
넙다리뼈(femur)
정강뼈(tibia)
종아리뼈(fibula)
가쪽복사(lateral malleolus)
목말뼈(talus)

신경계통

신경계

신경계는 크게 중추신경계(central nervous system, CNS)와 말초신경계(peripheral nervous system, PNS)로 구분된다. 중추신경계는 뇌와 척수(spinal cord)로 구성되어 있고, 정보를 받고 통합하여 처리하여 출력하는 신경계의 중추가 되는 부위이다. 말초신경은 뇌에서 나온 12쌍의 뇌신경(cranial nerve)과 척수에서 나온 31쌍의 척수신경(spinal nerve)으로 중추신경으로 들어가는 감각신경인 들신경(afferent nerve)과 나오는 운동신경인 날신경(efferent nerve)이 있다.

뇌

뇌(brain)는 신경 세포가 하나의 큰 장기를 이룬 것으로 여러 기관의 모든 정보를 모으고, 다시 뇌에서 여러 기관으로 명령을 내리는 곳이다. 성인의 뇌 무게는 약 1,400~1,600그램 정도이며, 약 1,000억 개 정도의 신경 세포인 뉴런(neuron)을 포함한다. 가로 15센티미터, 너비 15센티미터, 깊이 20센티미터 정도로 평균 부피는 1,350밀리리터 정도이다. 뇌는 항상성을 유지하며, 생명현상을 관장할 뿐 아니라 인지, 감정, 기억, 학습 등을 담당한다.

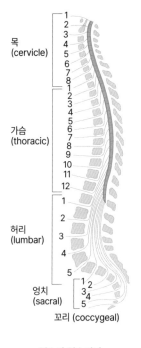

목
(cervicle)

가슴
(thoracic)

허리
(lumbar)

엉치
(sacral)

꼬리 (coccygeal)

척수와 척수신경

척수

척수(脊髓, spinal cord)는 뇌와 연결된 신경섬유로, 척추관(vertebral canal) 내에 긴 원통 형태의 구조이다. 뇌의 숨뇌(연수, medulla oblongata)에서 첫째 혹은 둘째허리뼈(L1-L2)까지 성인의 경우 약 42~45센티미터로 걸쳐져 있다. 팔다리로 가는 수많은 신경이 나오는 목 부위와 엉치부위는 다른 부위에 비해 두터워 목팽대와 허리엉치팽대라고 한다.

의대생들의 수다

척수신경

척수신경(spinal nerve)은 모두 31쌍으로 목신경 8쌍, 가슴신경 12쌍, 허리신경 5쌍, 엉치신경 5쌍, 꼬리신경 1쌍이 있다. 척수신경은 척추뼈의 숫자와 똑같은데, 하나의 예외가 있다. 목뼈는 7개인데, 목신경은 8쌍이 나온다. 뼈의 개수에 비해 목신경이 하나 더 나와서 헷갈릴 수 있는데, 그렇다고 8번째목신경(8 cervical vertebrae, C8)을 욕설(C8)로 발음하지는 말자. 목신경이 척수의 각 분절이나 높이에서 나와서 척추사이구멍을 지나 척주관을 빠져나간다.

척수막

척수는 경질막(dura mater), 거미막(arachnoid mater), 연질막(pia mater) 3층으로 이루어진 척수막(spinal meninges)로 둘러싸져 있다. 특히 거미막의 밑인 거미막밑공간(subarachnoid space)에 있는 뇌척수액(cerebrospinal fluid, CSF)은 척수와 척수신경을 지지하고 보호한다. 거미막은 경질막보다는 약한 조직으로 두터운 막이라기보

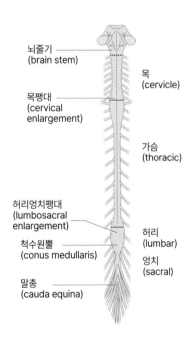

뇌줄기
(brain stem)

목팽대
(cervical
enlargement)

허리엉치팽대
(lumbosacral
enlargement)

척수원뿔
(conus medullaris)

말총
(cauda equina)

목
(cervicle)

가슴
(thoracic)

허리
(lumbar)

엉치
(sacral)

분리된 척수와 척수신경의 등쪽면

다 거미줄을 친 것과 같아 아라크네(거미)를 어원으로 한다.

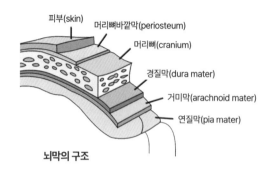

피부(skin)
머리뼈바깥막(periosteum)
머리뼈(cranium)
경질막(dura mater)
거미막(arachnoid mater)
연질막(pia mater)

뇌막의 구조

그리스-로마 신화에 따르면, 아라크네라는 여인은 베를 짜고 수를 놓는 실력이 매우 뛰어났는데, 여신 아테나보다 뛰어나다고 하였다. 이에 화가 난 아테나가 아라크네와 자수 실력으로 승부를 겨루었는데, 아라크네가 승리를 거두며 처음으로 신이 인간에게 패배하는 일이 벌어진다. 게다가 아라크네는 제우스를 비롯한 신들을 수치스러운 모습을 자수로 짰기 때문에 화가 머리끝까지 난 아테나는 아라크네에게 평생 베나 짜라면서 거미(아라크네)로 만들어버렸다. 뇌가 지식의 상징과 같은 장기이지만, 지식이 많아짐에 따라 겸손함도 따라와야 함을 의미하는 게 아닐까.

틴토레토, <아테나와 아라크네>

신경계통

- 신경계는 크게 중추신경계(central nervous system, CNS)와 말초신경계(peripheral nervous system, PNS)로 구분된다.
- 중추신경계는 뇌와 척수(spinal cord)로 구성되어 있고 말초신경에는 뇌에서 나온 12쌍의 뇌신경(cranial nerve)과 척수에서 나온 31쌍의 척수신경(spinal nerve)이 있다.
- 뇌는 신경 세포로 구성된 큰 장기로, 여러 기관의 정보를 모으고 명령을 내리는 역할을 한다.
- 척수(spinal cord)는 뇌와 연결된 신경섬유로, 척추관(vertebral canal) 내에 긴 원통형태의 구조이다.
- 척수는 경질막(dura mater), 거미막(arachnoid mater), 연질막(pia mater) 3층으로 이루어진 척수막(spinal meninges)로 둘러싸져 있다.
- 척수신경(spinal nerve)은 모두 31쌍으로 목신경 8쌍, 가슴신경 12쌍, 허리신경 5쌍, 엉치신경 5쌍, 꼬리신경 1쌍이 있다.

근육

　몸을 움직이는 근육을 muscle이라고 하는데, 이는 mouse, 생쥐에서 유래되었다. 근육이 꿈틀거리는 모습이 마치 피부 아래에 생쥐가 기어다니는 것과 같아서 붙여진 이름이다. 실제 한글에서도 근육 경련이 있을 때 "쥐가 났다"는 표현을 사용하는데, 이를 보면 근육이라는 말에 있어 동서양의 연계성이 느껴진다.

등 근육

척주를 지지하고 운동하기 위해서는 여러 개의 근육이 척추뼈에 부착하여 작용하여야 한다. 이 근육을 등근육(back muscle)이라고 하며 위치에 따라 얕은층근육, 중간층근육, 깊은층근육으로 나뉜다.

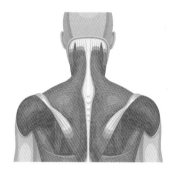

승모근(등세모근)

얕은층근육은 팔을 몸통과 이어주고 팔운동을 조절하는데, 등세모근(승모근, trapezius), 넓은등근(광배근, latissimus dorsi), 어깨올림근(견갑거근, levator scapulae), 큰마름근(대능형근, rhomboid major), 작은마름근(소능형근, rhomboid minor)이 있다. 등세모근을 승모근이라고 부르는데, 중세의 수도복의 모자(승모)의 모습이 등세모근과 같기 때문이다.

수도사들의 모자

    카푸치노를 좋아하는가? 카푸치노(cappuccino)는 승모(hood)란 뜻의 라틴어 'cappuccio'에서 유래하였다. 후드가 갈린 갈색 수도복 위로 하얀 허리끈을 한 모습이 커피와 우유가 섞인 카푸치노와 비슷하기 때문이다. 또한 커피 위의 하얀 우유 거품이 후드를 덮어쓴 모습과 비슷하다는 설도 있다.

    중간층근육에는 호흡에 관여하는 위뒤톱니근(serratus posterior superior)과 아래뒤톱니근(serratus posterior inferior)이 있다.

깊은층근육은 가장 얕은층에 널판근(splenius)이 있으며, 머리와 목을 가쪽으로 굽히거나 돌릴 수 있게 한다. 그 밑에는 척주 양쪽에 세로로 길게 배열된 척추세움근(척추기립근, erector spinae)이 있다. 이는 바깥쪽에서부터 엉덩갈비근(iliocostalis), 가장긴근(lognissimus), 가시근(spinalis)으로 나뉘어 있는데, 척주를 펴고 가쪽으로 굽히거나 돌리는 작용을 한다. 이 근육은 척주를 움직이는 주요 근육이다. 외우기 힘들다면, 소중한 근육이니만큼 사랑스럽다고 생각하며 세 근육의 앞 글자를 따서 "I love spine"이라고 불러보자. 보통 우리가 먹는 스테이크인 등심이 바로 소의 척추세움근이다. 등 쪽에 붙어있어서 등심이라고 불리는데 이보다 안쪽에 있는 부위가 안심으로 인체의 큰 허리근(장요근, psoas major)에 해당한다.

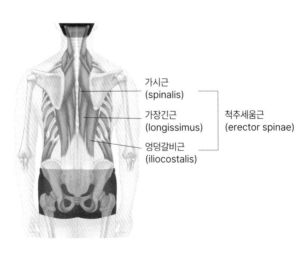

척추세움근

팔근육

(1) 팔이음근육

　팔과 몸통을 이어주는 근육을 팔이음근육이라고 한다. 그중 앞쪽에는 가슴과 어깨 부위에 부착된 근육이 있다. 가장 큰 근육인 큰가슴근(대흉근, pectoralis major)이 가슴 전체를 덮고 있으며, 빗장뼈를 지나서 위팔뼈에 붙는다. 따라서 팔을 모이고 안쪽으로 돌리는 작용을 한다. 큰가슴근 아래 세모꼴의 작은가슴근(소흉근, pectoralis minor)이 갈비뼈에서 시작해서 어깨뼈의 부리돌기(coracoid process)에 붙어서 어깨뼈를 아래나 앞으로 당긴다. 가슴 확대 수술은 큰가슴근의 근막의 위나 아래에 보형물을 넣는 방법을 주로 하고 있는데, 최근 보형물의 변형, 보형물 관련 림프종 발병 등의 문제점이 대두되고 있다. 이에

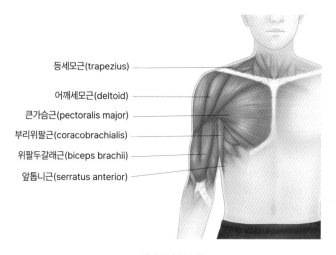

등세모근(trapezius)
어깨세모근(deltoid)
큰가슴근(pectoralis major)
부리위팔근(coracobrachialis)
위팔두갈래근(biceps brachii)
앞톱니근(serratus anterior)

앞가슴의 근육들

따라 지방세포나 줄기세포를 이용한 가슴성형을 하기도 하는데 아직 많은 연구가 필요한 상황이다. 수많은 예술가가 성모 마리아와 예수에 대한 그림을 그렸다. 레오나르도 다빈치도 〈리타의 성모〉에서 성모 마리아의 모유를 먹고 있는 예수의 모습을 표현하였다. 그런데 성모 마리아의 가슴의 위치가 조금 이상하다. 해부학을 잘 알고 있는 다빈치가 실수라도 한 것일까? 성모 마리아의 성스러운 모성애를 표현하기 위한 것으로, 드러낸 가슴을 보고 성(性)적인 생각을 하지 않도록 실제 해부학적인 위치와 다르게 그림을 그린 것이다. 해부학 천재는 실수하지 않는다!

한편, 어깨의 안전성에 큰 역할을 하는 톱니 모양의 앞톱니근(전거근, serratus anterior)은 갈비뼈에서 시작하여 어깨뼈의 안쪽모서리에 붙는다. 어깨뼈를 모아주면서 팔을 들거나 앞으로 뻗을 때 사되는 강력한 어깨내밈근(protractor of scapula)으로 주로 복싱 선수들에게 잘 발달해 있어서 복서 근육(boxer's muscle)이라고도

레오나르도 다 빈치, 〈리타의 성모〉,
1490년, 템페라, 42×33cm,
상트페테르부르크 예르미타 시미술관

한다. 소고기를 먹을 때 부채모양의 '살치살'이라 불리는 부위로, 소가 권투할 일도 없다 보니 한 마리당 5킬로그램밖에 나오지 않는다. 희귀부위라서 비싸지만 맛있다.

(2) 어깨근육

어깨와 위팔을 연결하는 근육으로 어깨세모근(deltoid), 큰원근(teres major) 및 근육둘리띠(rotator cuff)가 있다. 어깨세모근(삼각근)은 어깨를 덮고 있는 두꺼운 근육으로 팔을 15도 정도 벌릴 상태에서 팔을 위로 끌어올리는 작용을 한다. 델타는 그리스 문자(Δ)로 삼각주를 뜻하며 미국의 항공사인 델타항공의 로고에서도 삼각형을 확인할 수 있다. 이 근육은 주로 예방접종과 같은 근육주사를 놓는 곳이기도 하다. 이 근육을 지배하는 신경인 겨드랑신경(axillary nerve)이 골절이 잘 일어나는 위팔의 외과목을 지나가기 때문에 손상받기 쉬워서 어깨세모근의 위축이 잘 생긴다.

근육둘레띠(rotator cuff)란 어깨관절을 둘러싸고 있는 네 개의 근육인 가시위근(supraspinatus), 가시아래근(infraspinatus), 작은원근(teres minor), 어깨밑근(subscapularis)으로 구성되어 있다. 이 근

삼각형을 의미하는 델타항공의 이미지

육들이 어깨관절의 관절주머니에 돌아가면서 붙어서 어깨관절의 운동과 안정성에 관여한다. 가시위근은 팔을 처음 15도까지 벌리는 작용을 하므로, 위팔을 완전히 모은 상태(adduction)에서 저항력에 대항하여 팔을 벌리게 함으로써 근육의 상태를 검사할 수 있다. 혈압을 재기 위해 팔에 감는 것도 커프(cuff)라고 하는데, 옷소매의 끝부분을 뜻한다. 이렇게 감싸는 옷이나 장신구 등의 패션적인 의미도 있지만 '수갑을 채운다'는 뜻도 있으니 조심해서 사용하는 것이 좋다.

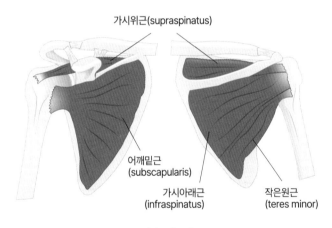

가시위근(supraspinatus)

어깨밑근
(subscapularis)

가시아래근
(infraspinatus)

작은원근
(teres minor)

회전근개 근육

위팔에는 굽힘근으로 위팔두갈래근, 위팔근, 부리위팔근이 위팔의 앞쪽에 있고, 폄근으로 위팔세갈래근(triceps brachii)이 뒤쪽에 있다.

위팔두갈래근(상완이두근, biceps brachii)은 근육의 머리 (cep-)가 두 갈래(bi-)이지만, 10퍼센트 이상에서 셋째갈래가 있는 변이(variation)가 있기도 하다. 위팔과 관련된 용어로 브라키-(brachi-)가 쓰이는데, 대표적인 초식공룡인 브라키오사우르스(brachiosaurus)와 어원이 같다. 앞발이 길어서 높은 나무의 잎을 먹을 수 있기 때문인데, 브라키오사우루스는 한글로 앞발긴공룡이라고 해석할 수 있다. 우리가 혈압을 이 부위에서 측정하는데 이는 위팔동맥(brachial artery)이 위팔두갈래근 옆

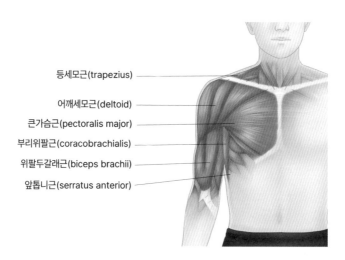

등세모근(trapezius)
어깨세모근(deltoid)
큰가슴근(pectoralis major)
부리위팔근(coracobrachialis)
위팔두갈래근(biceps brachii)
앞톱니근(serratus anterior)

위팔의 근육들

브라키오사우르스의 긴 앞다리

으로 지나가기 때문에 이를 이용한 것이다. 위팔두갈래근은 팔꿈치 관절을 굽히는 작용뿐 아니라 뒤침(supination)의 작용도 해서 오른손으로 나사나 문의 손잡이가 시계방향으로 되어 있다.

위팔근(brachialis)는 납작한 방추 모양의 근육으로, 위팔두갈래근의 아래에 위치하며 아래팔의 중요한 굽힘근이다. 또한 팔꿈치를 굽은 상태로 유지하는데도 쓰이는데, 무언가를 소중히 안고 있을 때 쓰기 때문에 매우 소중하고 중요한 근육이다.

부리위팔근(coracobrachialis)은 위팔두갈래근의 짧은갈래와 같은 부위에서 시작하여 그 밑으로 지나간다. 이 근육은 위팔의 굽힘과 모음 작용을 한다.

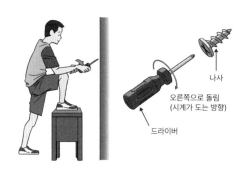

나사

오른쪽으로 돌림
(시계가 도는 방향)

드라이버

**위팔두갈래근의 작용을 이용한
드라이버의 방향**

소중한 것을 안고 있는 모습

아래팔앞칸의 근육은 모두 굽힘근으로, 손목이나 손가락을 굽히는 작용을 한다. 제일 얕은층의 근육인 원엎침근(pronator teres), 노쪽손목굽힘근(flexor carpi radialis), 긴손바닥근(palmaris longus), 자쪽손목굽힘근(flexor carpi ulnaris)은 모두 위팔뼈의 안쪽위관절융기(medial epicondyle)에서 온힘줄(common tendon) 로 일어난다. 두 번째 층에는 얕은손가락굽힘근(flexor digitorum superficialis), 세 번째 층에는 깊은손가락굽힘근(flexor digitorum profundus)과 긴엄지굽힘근(flexor pollicis longus)이 있는데, 이 는 손가락을 굽히는 작용을 한다. 마지막으로 네 번째 층에는

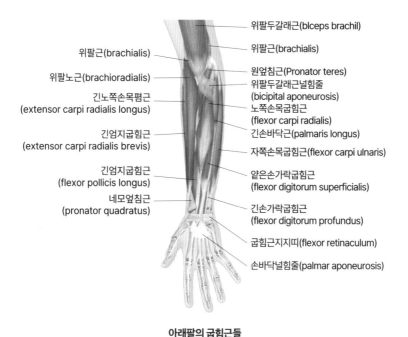

아래팔의 굽힘근들

네모엎침근(pronator quadratus)이 있다. 이 많은 근육과 이들을 지배하는 신경과 혈관이 지나는 손목의 좁은 관을 손목터널(수근관, carpal tunnel)이라고 한다. 이들을 보호하기 위해서 굽힘근지지띠(flexor retinaculum)가 터널을 형성하고 있다.

주먹을 쥐고 손목을 구부리면 손목에 볼록 튀어나온 것이 있다. 이는 긴손바닥근(장장근, palmaris longus)으로 이 근육의 힘줄이 굽힘근지지띠 아래로 지나가는 다른 손목 근육들과 달리, 위로 지나가기 때문에 튀어나와 보인다. 인류의 약 10~15퍼센트 정도가 이 근육이 없는 것으로 알려져 있다. 이 근육의 가쪽에 노동맥(radial artery)이 지나가기 때문에 동맥의 박동을 쉽게 느낄 수 있어서 맥박을 측정할 때 이용한다.

손가락굽힘근을 잘 표현한 그림으로 렘브란트의 '튈프 박사의 해부학 강의'라는 작품이 있다. 이 그림은 렘브란트가 암스테르담의 외과 의사 조합의 의뢰를 받아 해부학 수업 장면을 그린 것

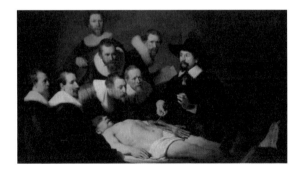

렘브란트 반 레인, <튈프 박사의 해부학 강의>,
1632년, 169.5×216.5cm, 캔버스에 유채, 헤이그 마우리츠호이스 왕립미술관

이다. 1632년 1월 16일 니콜라스 튈프 박사가 그날 처형된 범죄자의 시신을 해부하고 있으며 7명의 의사가 그 모습을 지켜보고 있다. 그 당시에는 인증사진을 대신해서 초상화를 그리도록 하였기 때문에 모든 참석자의 얼굴이 나온 것을 볼 수 있다. 튈프 박사가 붙잡고 있는 팔의 근육이 바로 얕은손가락굽힘근으로 보이며, 왼손으로 이 근육의 작용인 손가락을 굽힌 모습까지 표현되고 있다.

아래팔뒷칸의 근육은 손목이나 손가락을 펴는 작용을 하고 노신경(radial nerve)이 담당한다. 얕은층에는 가쪽에서부터 위팔노근(brachioradialis), 긴노쪽손목폄근(extensor carpi radialis longus), 짧은노쪽손목폄근(extensor carpi radialis brevis), 손가락폄근(extensor digitorum), 새끼폄근(extensor digiti minimi), 자쪽손목폄근(extensor carpi ulnaris)가 있다. 이 중 위팔노근은 예외적으로 팔꿈치를 굽히는 작용을 하는데, 주로 맥주잔을 들고 마실 때 많이 쓰인다. 따라서 이 근육의 약자인 BR(brachioradialis)을 Beer Raising muscle이라도고 한다.

깊은층에는 손뒤침근(supinator), 긴엄지벌림근(abductor pollicis longus), 짧은엄지폄근(extensor pollicis brevis), 긴엄지폄근(extensor pollicis longus), 집게폄근(extensor indicis)이 있다. 주먹을 쥐었을 때, 손가락을 하나씩 펴보면 네번째 손가락(약지)을 제외하고는 모두 각각의 손가락을 펼 수 있다. 따라서 양손을 붙여서 각각 손가락을 움직여 보면 다른 손가락은 모두 떨어지지만, 약지

의대생들의 수다

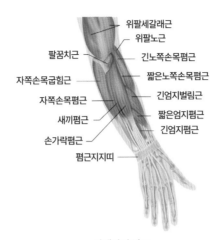

위팔세갈래근
위팔노근
팔꿈치근
긴노쪽손목폄근
자쪽손목굽힘근
짧은노쪽손목폄근
자쪽손목폄근
긴엄지벌림근
새끼폄근
짧은엄지폄근
손가락폄근
긴엄지폄근
폄근지지띠

아래팔의 폄근

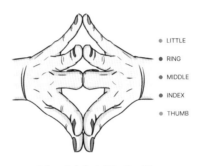

● LITTLE
● RING
● MIDDLE
● INDEX
● THUMB

넷째 손가락에 반지를 끼는 이유

는 떨어지지 않는다. 따라서 커플 혹은 배우자와 분리될 수 없는 운명으로, 평생 함께하겠다는 다짐과 약속의 의미로 결혼반지나 커플링을 넷째 손가락에 끼며, 이러한 이유로 넷째손가락을 ring finger라 한다. 이것은 네 번째 손가락만 단독으로 펴는 근육이 없기 때문이다.

손 근육

　사람의 손은 동물과 다르게 물건을 잡을 수 있으며 미세한 동작을 할 수 있어서, 기능적으로 매우 중요한 부위이다. 이를 위해 팔의 근육과 함께 손의 고유 근육이 적절하게 사용되어야 한다. 손의 고유 근육(intrinsic muscle)은 엄지손가락을 벌리거나 굽히거나 모으는 근육인 엄지두덩근(thenar muscle)과 동일하게 새끼손가락을 움직이는 새끼두덩근(hypothenar muscle)이 있다. 이와 함께 모양이 길고 벌레같이 생겨서 손가락 관절을 움직이는 벌레근(lumbrical muscle)과 손가락을 벌리고 모으는 뼈사이근(interosseous muscle)이 손의 고유 근육이다.

다리 근육

[1] 볼기 근육

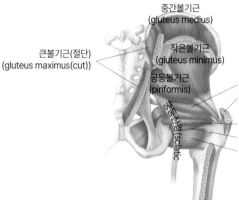

중간볼기근
(gluteus medius)

작은볼기근
(gluteus minimus)

큰볼기근(절단)
(gluteus maximus(cut))

궁둥볼기근
(piriformis)

위쌍둥이근(gemellus superior)
중간볼기근(절단)(gluteus medius(cut))

아래쌍둥이근(gemellus inferior)
바깥폐쇄근(깊은)(obturator extemus(deep))
넙다리네모근(quadratus femoris)

궁둥신경(sciatic)

볼기의 구조와 궁둥신경

엉덩이 혹은 궁둥이라고 하는 부위의 볼기에는 볼기근(둔
근, gluteal muscle)과 넙적다리의 가쪽돌림근(외측회전근, lateral
rotators)인 여러 작은 근육이 엉덩관절에서 넙적다리의 폄근과
벌림근으로 작용한다. 가쪽돌림근은 큰볼기근(대둔근, gluteus
maximus muscle)의 아랫부분 깊은 곳에 위치하며 넙다리뼈머
리(대퇴골두, head of femur)를 절구(관골구, acetabulum) 속에 고
정시킴으로써 엉덩관절(고관절, hip joint)의 안전성을 높인다.

볼기 근육 중에서 가장 표면에 위치하는 큰볼기근(대둔근,
gluteus maximus muscle)은 볼기근 중 가장 크고 두꺼운 근육
으로 다리를 펴고 가쪽으로 돌리는 작용을 한다. 큰볼기근을

젖히고 나면 부채꼴 모양의 중간볼기근(중둔근, gluteus medius muscle)이 보이는데, 앞볼기근선(전둔근선, anterior gluteal line)과 뒤볼기근선(후둔근선, posterior gluteal line) 사이의 엉덩뼈 바깥면과 볼기근널힘줄에서 일어나 넙다리뼈 큰돌기의 뒤위각(posterosuperior angle)과 옆면의 작은 융기에 강하고 편평한 힘줄로 닿는다.

작은볼기근(소둔근, gluteus minimus muscle)은 큰볼기근에 덮여, 앞볼기근선과 아래볼기근선 사이 엉덩뼈 바깥면에서 일어나서 넙다리뼈 큰돌기의 앞위각(anterosuperior angle)에 닿는다. 중간볼기근과 함께 작은볼기근은 넓적다리를 안쪽으로 돌리고 벌린다. 최근 전국적으로 인기가 많은 생고기 혹은 뭉티기는 소의 볼기근에 해당하는 부위로 말 그대로 굽지 않고 날것으로 먹는 것이다. 생고기를 얇게 저며 먹는 것은 육회라고 하는데, 육회비빔밥을 먹은 기억을 떠올리면 생고기가 생생하게 그려질 것이다.

생고기(육사시미)는 소의 볼기부위

(2) 넓적다리 근육

넓적다리(대퇴, thigh)의 근육은 깊은근막에서 비롯된 앞근육사이막, 뒤근육사이막, 가족근육사이막(근간중격, intermuscular septa)에 의해 앞칸, 안쪽칸, 뒤칸으로 나누어져 있다. 각 칸(compartment) 안에 근육의 작용과 분포하는 신경도 나누어져 있다. 먼저 넓적다리 앞근육(anterior thigh muscles)은 넙다리앞칸(anterior compartment of thigh)에 자리 잡고 있으며 엉덩관절을 굽히고, 무릎관절을 펴는 운동에 관여한다. 여기에는 엉덩허리근, 넙다리근막긴장근, 넙다리빗근, 넙다리네갈래근이 있다.

넙다리안쪽근육(medial thigh muscles)은 넙다리안쪽칸(medial compartment of thigh)에 위치하고 두덩근, 긴모음근, 짧은모음근, 큰모음근, 두덩정강근이 있으며 이들은 기능적으로 넓적다리의 모음근(adductor) 역할을 한다. 넙다리뒤칸의 근육은 통칭하여 뒤넙다리근육(hamstring muscle)이라고 한다. 엉덩관절에

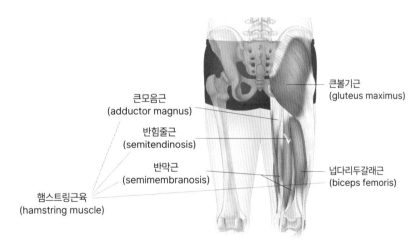

큰모음근
(adductor magnus)

반힘줄근
(semitendinosis)

반막근
(semimembranosis)

햄스트링근육
(hamstring muscle)

큰볼기근
(gluteus maximus)

넙다리두갈래근
(biceps femoris)

햄스트링 근육의 구조: 반막근, 반힘줄근, 넙다리두갈래근

서 넓적다리를 펴고 무릎관절에서 종아리를 굽히는 작용을 하며, 주로 걸 때 사용된다. 여기에는 반힘줄근, 반막근, 넙다리두갈래근이 포함된다. 돼지의 햄스트링 근육을 보통 햄(ham)이라고 하고, 이 부위에 양념을 한 것이 스팸(spam)이다. 1970년대 영국의 코미디 프로그램에서 스팸이 '원치 않는데 너무 많은 것'이란 이미지가 되면서 현재 스팸메일이나 스팸 문자와 같은 의미로 사용되고 있다.

(3) 다리오금 근육

다리오금(슬와, popliteal fossa)은 무릎 바로 뒤쪽의 마름모꼴 공간을 말한다. 위쪽 경계는 가쪽으로 넙다리두갈래근의 힘줄, 안쪽으로 반막근과 반힘줄근힘줄, 아래쪽 경계는 안쪽으로 장딴지근(gastrocnemius muscle)의 안쪽갈래, 가쪽으로 장딴지근의 가쪽갈래와 장딴지빗근에 의해 이루어진다.

(4) 종아리 근육

종아리의 근육은 앞칸, 가쪽칸, 그리고 뒷칸으로 나누어져 있다. 종아리앞칸(anterior compartment of leg)은 에는 안쪽에서부터 앞정강근, 긴발가락폄근, 긴엄지폄근, 셋째종아리근이 있다. 종아리에서 이 근육들은 힘살로 되어 있으나 발목에서는 이 근육의 힘줄이 지나간다. 종아리가쪽칸 (lateral compartment of leg)은 가쪽으로 종아리근막, 앞쪽으로 앞근육사이막, 뒤쪽으로 뒤근육사이막, 안쪽으로 종아리뼈 가쪽면에 의해서 경계되는 작은 공간이다. 이 칸에는 긴종아리근과 짧은종아리근이 있으며, 얕은종아리신경(superficial peroneal nerve)이 지배한다.

종아리뒤칸(posterior compartment of leg)은 종아리의 세칸 중에서 가장 큰 부분이며 가로근육사이막(횡근육간중격, transverse intermuscular septum)에 의하여 얕은층과 깊은층 근육으로 나뉜다. 얕은층에는 종아리세갈래근(장딴지근, 가자미근, 장딴지빗근)이 있으며 이들은 발목의 발바닥굽힘(plantar flexion)을 일으키는 주된 근육들이다. 이는 몸무게를 지지하고 움직이는 강하고 단단한 근육으로 직립 보행하는 인간에

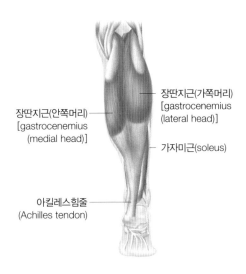

장딴지근(안쪽머리)
[gastrocenemius
(medial head)]

장딴지근(가쪽머리)
[gastrocenemius
(lateral head)]

가자미근(soleus)

아킬레스힘줄
(Achilles tendon)

종아리세갈래근과 발꿈힘줄치

게 특히 발달했다. 이 중 장딴지근(gastrocnemius)은 비복근(腓腹筋)이라고도 하는데, 다리에 위(gastro-, 腹)와 같이 큰 주머니가 있어서 명명된 것이다. 운동을 하거나 잠을 자다가 쥐가 잘 나는 부위인데, 이는 장딴지근이 대표적인 적색근육(지근)이기 때문이다. 지속적인 운동을 하는 근육인 적색근육은 수축 속도는 늦지만, 산소의 활용도가 많다. 이는 마이오글로빈이 많기 때문인데 이것에 의해 빨간색으로 보여서 적색근육이라고 한다. 한편 장딴지 근육 밑에 깊은층에는 오금근, 긴발가락 굽힘근, 긴엄지굽힘근, 뒤정강근이 있어서 발가락이나 발바닥을 굽히는 작용을 한다.

(5) 발근육

발등에는 넓고 얇은 짧은발가락폄근만 있다. 반면, 발바닥에는 4개의 층에 걸쳐 다양한 근육이 있다. 첫째층에는 엄지벌림근, 짧은발가락굽힘근, 새끼벌림근이 있고, 둘째층에는 발바닥네모근과 벌레근이 있어 발가락을 굽히는 작용을 한다. 셋째층에는 짧은엄지굽힘근과 엄지모음근, 짧은새끼굽힘근이 있다. 넷째층에는 뼈사이근이 있어 발가락 사이를 모으거나 벌린다.

근육계통

- 몸을 움직이는 근육을 muscle이라고 하는데, 이는 mouse, 생쥐에서 유래되었다. 근육이 꿈틀거리는 모습이 마치 피부 아래에 생쥐가 기어다니는 것과 같아서 붙여진 이름이다.
- 척주를 지지하고 운동하기 위해서는 여러 개의 근육이 척추뼈에 부착하여 작용하여야 한다. 이 근육을 등 근육(back muscle)이라고 하며 위치에 따라 얕은층근육, 중간층근육, 깊은층근육으로 나뉜다.
- 팔 근육에는 팔과 몸통을 이어주고, 어깨와 위팔을 연결하고, 또 위팔과 아래팔에서 굽힘과 폄을 담당하는 근육들이 있다.
- 손 근육에는 팔의 근육과 함께 손의 고유 근육이 있어 미세한 동작을 할 수 있게 돕는다.
- 다리에는 볼기 근육, 넓적다리 근육, 다리오금 근육, 종아리 근육, 발 근이 있다.

온몸의 근육 (앞면)

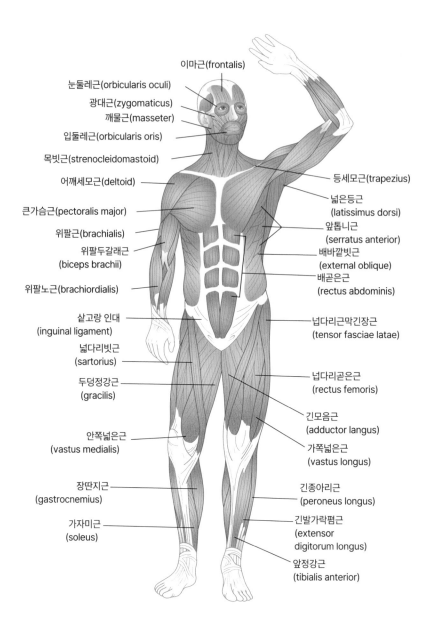

이마근(frontalis)

눈둘레근(orbicularis oculi)

광대근(zygomaticus)

깨물근(masseter)

입둘레근(orbicularis oris)

목빗근(strenocleidomastoid)

어깨세모근(deltoid)

큰가슴근(pectoralis major)

위팔근(brachialis)

위팔두갈래근
(biceps brachii)

위팔노근(brachiordialis)

샅고랑 인대
(inguinal ligament)

넓다리빗근
(sartorius)

두덩정강근
(gracilis)

안쪽넓은근
(vastus medialis)

장딴지근
(gastrocnemius)

가자미근
(soleus)

등세모근(trapezius)

넓은등근
(latissimus dorsi)

앞톱니근
(serratus anterior)

배바깥빗근
(external oblique)

배곧은근
(rectus abdominis)

넙다리근막긴장근
(tensor fasciae latae)

넙다리곧은근
(rectus femoris)

긴모음근
(adductor langus)

가쪽넓은근
(vastus longus)

긴종아리근
(peroneus longus)

긴발가락폄근
(extensor
digitorum longus)

앞정강근
(tibialis anterior)

온몸의 근육 (뒷면)

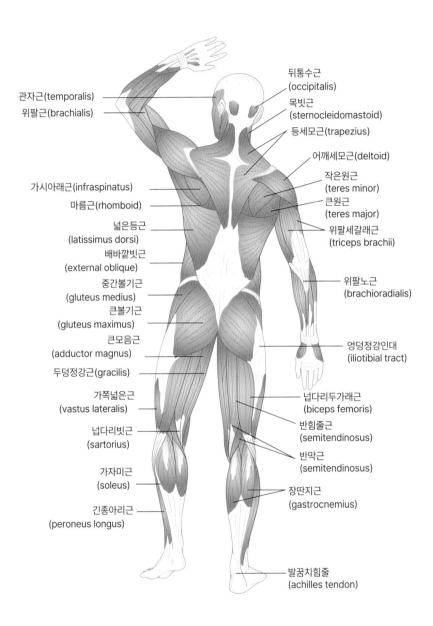

관자근(temporalis)
위팔근(brachialis)

뒤통수근
(occipitalis)
목빗근
(sternocleidomastoid)
등세모근(trapezius)

어깨세모근(deltoid)

가시아래근(infraspinatus)
마름근(rhomboid)
넓은등근
(latissimus dorsi)
배바깥빗근
(external oblique)
중간볼기근
(gluteus medius)
큰볼기근
(gluteus maximus)
큰모음근
(adductor magnus)
두덩정강근(gracilis)
가쪽넓은근
(vastus lateralis)
넙다리빗근
(sartorius)
가자미근
(soleus)
긴종아리근
(peroneus longus)

작은원근
(teres minor)
큰원근
(teres major)
위팔세갈래근
(triceps brachii)

위팔노근
(brachioradialis)

엉덩정강인대
(iliotibial tract)

넙다리두가래근
(biceps femoris)
반힘줄근
(semitendinosus)
반막근
(semitendinosus)
장딴지근
(gastrocnemius)

발꿈치힘줄
(achilles tendon)

2장

우리의 가슴과 배가
말하지 않은 비밀

엉덩이는 한 개일까, 두 개일까?

엉덩이는 몇 개?

논란은 한 유튜브 영상으로부터 시작되었다. 유튜브 '딩고뮤직' 채널의 영상에서 걸 그룹 '여자친구'의 멤버들이 사람의 엉덩이가 두 개인지 한 개인지를 놓고 싸운 것이다. 이 영상이 화제가 되자 수많은 아이돌이 '엉덩이 논쟁'에 참여하면서 엉덩이의 개수 문제는 아이돌 팬덤 사이에서까지 뜨거운 이슈가 되었다. 엉덩이가 한 개라는 쪽은 "너희는 팬티를 두 개 입냐? 복숭아가 두 개라고 생각하냐?"라고 주장했고, 엉덩이가 두 개라는 쪽은 "볼기짝이 한 개면 항문도 막혀 있어야 한다, 애초에 덩이가 두 개인데 어떻게 하나라고 하냐?"라며 만만치 않은 반격을 가했다.

흥미진진한 논쟁이지만 해부학적으로 보면 답은 명쾌하다. 엉덩이는 둘이다. 엄밀히 말하면 엉덩이가 아니라 '볼기(buttocks)'가 두 개이다. "볼기짝을 맞았다"라는 표현에서 말하고 있는 그 '볼기'가 바로 그것이다. 엉덩이는 볼기의 위쪽 부분을 가리키며, 볼기의 아래쪽 부분은 궁둥이라고 부른다. 따라서, 엉덩이와 궁둥이를 합치면 '볼기'가 되는 것이다. 볼기는 좌우에 하나씩 존재하므로 엉덩이도 두 개인 것이 맞다. 엉덩이, 궁둥이, 볼기, 둔부를 구분하지 않고 혼용해서 쓰는 경우가 많아 혼란스러울 수 있다. 엉덩이나 볼기와 같은 용어는, 전체 둔부 부위를 포괄하는 하나의 영역을 나타내는 것이 아니냐고 주장하는 이도 있다. 하지만 그러한 영역을 나타내는 말은 따로 있다.

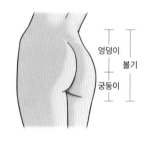

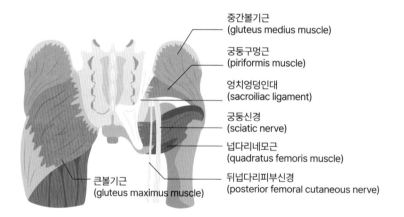

중간볼기근
(gluteus medius muscle)

궁둥구멍근
(piriformis muscle)

엉치엉덩인대
(sacroiliac ligament)

궁둥신경
(sciatic nerve)

넙다리네모근
(quadratus femoris muscle)

뒤넙다리피부신경
(posterior femoral cutaneous nerve)

큰볼기근
(gluteus maximus muscle)

볼기근

두 볼기와 그 주변 구역을 포함하는 영역을 해부학에서는 '볼기 부위(gluteal region)'라고 부른다. 볼기 부위는 하나이고 엉덩이는 두 개인 셈이다. 볼기가 볼록하게 튀어나와 있는 이유는 피부층 아래로 무려 9개의 근육이 있기 때문이다. 각각 큰볼기근(대둔근, gluteus maximus muscle), 중간볼기근(중둔근, gluteus medius muscle), 작은볼기근(소둔근, gluteus minimus muscle), 넙다리근막긴장근(대퇴근장근, tensor fasciae latae muscle), 궁둥구멍근(이상근, piriformis muscle), 속폐쇄근(내폐쇄근, obturator internus muscle), 위쌍동이근(상쌍자근, superior gemelleus muscle), 아래쌍동이근(하쌍자근, inferior gemelleus muscle), 넙다리네모근(대퇴방형근, quadratus femoris muscle)이다.

이러한 볼기 근육들은 엉덩관절을 움직여 넓적다리를 펴고 벌리고 돌릴 수 있도록 하는데, 엉치신경얼기(천골신경총, sacral plexus)의 가지들이 영향을 미친다. 가장 큰 근육인 큰볼기근은 볼기 모양을 만드는데, 오직 사람한테만 발달한 근육이다. 허리를 펴고 곧게 선 자세를 유지하는 데 중요한 역할을 하며 달리고 계단을 오르내리는 등 엉덩관절을 젖히는 힘에도 강력하게 작용한다. 주로 넓적다리를 강하게 펴거나 바깥쪽으로 회전하는 작용을 하며 다리를 벌릴 때 보조적인 역할을 한다.

'엉덩이 한 개론'을 주장하는 사람들도 너무 억울해하지 말자. 볼기를 두 개로 구분하는 이유는 무엇일까? 각각 따로 기능을 하기 때문이다. 한쪽 볼기가 제대로 작용하지 않으면 걸을

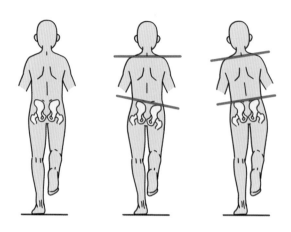

균형잡힌 골반의 정상적인 모습과
비정상적인 모습인 트렌델렌버그 징후

때 반대 방향의 골반이 아래로 내려간다. 볼기를 구성하는 여러 가지 근육 중 중간볼기근의 문제로 인해 나타나는 현상이다. 한쪽 다리를 들었을 때, 균형을 맞추기 위해 반대쪽의 중간볼기근이 수축해야 하는데 이것이 제대로 되지 않으면 골반이 비틀어진다. 이것을 트렌델렌버그 징후(Trendelenburg sign)라고 한다. 중간볼기근은 중둔근(中臀筋)이라고도 하며, 골반의 바깥쪽 표면에 위치한다. 이 근육은 엉덩뼈의 바깥쪽 표면과 볼기근널힘줄에서 일어나서 넙다리뼈 큰돌기 바깥 표면에 닿는다. 엉덩관절을 벌리는 작용을 하며, 위볼기신경(superior gluteal nerve)이 이를 담당한다. 이 근육은 근육주사를 놓는 대표적인 부위이기도 하다. 하지만 이 근육 밑으로 궁둥신경(sciatic

의대생들의 수다

nerve)이 지나기 때문에 볼기의 위 바깥쪽 부위에 주사를 놓아야 한다. 이 근육의 작용을 고려하면 당연히 양쪽의 볼기근은 각자 기능을 한다. 분리된 구조를 가지고 분리되어 기능을 하면 두 개로 봐야 하지 않을까?

엉덩이를 붙이고 앉아서 공부할 수 없는 이유

우리는 평상시에 좌우 엉덩이의 움직임이 서로 다르다는 것을 잘 인지하지 못한다. 의사나 물리치료사 등과 같은 직업이 아니라면 이 부위를 따로 언급할 일이 거의 없기 때문에, 엉덩이를 한 개라고 생각하게 된 것 같다. 해부학용어가 여러 경로를 통해 사용되고 수정이 이루어지면서 이를 정확히 이해하고 적절한 표현을 사용하는 것은 쉽지 않다. 앞서 볼기의 윗부분이 엉덩이(iliac-)이고, 볼기의 아랫부분이 궁둥이 (ischial-)라고 하는데, 그럼에도 우리는 일상생활에서 엉덩이와 궁둥이를 잘 구분하지는 않는다. 해부학적 으로 차이가 있다고 일 상생활에서까지 일일 이 엉덩이와 궁둥이를 구분해 부르기에는 불

엄마아~
엉덩이가 뜨거워

편하기 때문이다.

"엄마아~엄마아~ 엉덩이가 뜨거워."라는 동요의 가사를 떠올려 보자. 굳이 따지자면 부뚜막에 올라간 어린 송아지는 엉덩이보다는 궁둥이가 좀 더 뜨거웠을 것이다. "엉덩방아 찧었다"라고 말하는 사람의 대부분은 사실 '궁둥방아'를 찧지 않았을까? 이 말 그대로 궁둥이가 아니라 엉덩이를 부딪쳤다면 척추에 손상이 생겼을 것이다.

부모님이나 선생님께 자주 들었던 "엉덩이 떼지 말고 공부 열심히 해!"라는 말도 무언가 이상한 점이 있다. 공부를 위해 앉은 자세에서는 궁둥이가 의자에 닿는다. 그래서 궁둥이뼈(ischial bone)가 앉을 때 의자에 닿는 뼈이므로 이를 좌골(坐骨)이라고도 한다. 만일 엉덩이를 의자에 붙인다면, 이것은 거

의 누운 자세에 가깝다. 말 그대로 '엉덩이 붙이고' 공부하면 부모님이나 선생님에게 바로 등짝 스매싱이 날아올지도 모를 일이다.

의대생들의 요약

엉덩이는 한 개일까, 두 개일까?

- 엉덩이와 궁둥이는 각각 볼기의 위쪽과 아래쪽을 뜻한다. 그리고 볼기는 좌우에 하나씩 존재하므로 엉덩이는 두 개이다.
- 두 볼기와 그 주변 구역을 포함하는 영역을 '볼기 부위(gluteal region)' 라고 부른다.
- 볼기 근육들은 엉덩관절을 움직여 넓적다리를 펴고 벌리고 돌릴 수 있도록 하며, 엉치신경얼기(천골신경총)의 가지인 신경들이 이 근육들을 움직인다.
- 볼기 근육 중 하나인 중간볼기근의 한쪽에서 문제가 생기면 양쪽의 균형을 맞추지 못해 골반이 비틀어지는 트렌델렌버그 징후(Trendelenburg sign)가 나타난다.
- 의자에 앉을 때 궁둥이뼈(ischial bone)가 의자에 닿는다. 그래서 이 뼈를 좌골(坐骨)이라고도 한다.

영웅 아킬레우스는 어쩌다 약점 아킬레스가 되었을까?

전설 속의 괴물, 세상에서 가장 유명한 여성이 되다

스타벅스는 가장 유명한 카페 프랜차이즈 중 하나이다. 번화가를 걸어가다 보면 스타벅스의 로고를 쉽게 마주치게 된다. 이 로고는 오랫동안 조금씩 변해왔다. 초기의 로고는 다소 선정적인 모습이다. 배꼽과 유방이 드러나 있고, 다리를 들어 올린 인어가 표현되어 있다. 선정적이라는 지적이 나오면서 유방이 가려졌고, 이후 다리도 가려졌다. 누군가는 지금의 스타벅스 로고를 보고 여전히 성적인 의미가 있지 않느냐고 이야기한다. 비록 예전처럼 대놓고 노출된 모습은 아니지만, 예전의 로고를 연상시키지 않느냐는 것이다.

| 1971 | 1987 | 1992 | 2011 |

스타벅스 로고의 변화

    유방(breast)은 남성과 여성 모두에게 존재하지만, 수유 기능으로 인해 주로 여성의 구조물로 인식된다. 유방은 모유를 분비하는 젖샘인 유선과 지방세포로 구성되어 있다. 약 15~20개의 엽(lobe)으로 나뉘어 있고, 엽 속의 유선에서 만들어진 모유는 유관을 통해 젖꼭지(nipple)로 배출된다. 젖꼭지 주위를 검게 둘러싼 부분을 유륜(areola)이라고 하며, 피지를 분비하여 모유 수유 시 마찰과 압력을 견딜 수 있게 도와준다. 유방의 형태와 크기는 엽을 덮고 있는 피하지방의 양과 쿠퍼 인대(suspensory ligament)의 구조에 의해 결정된다. 유방은 큰

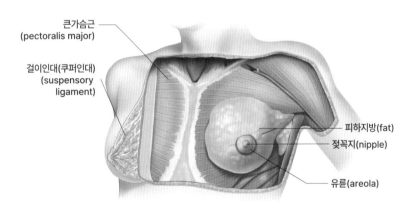

유방의 구조

가슴근(pectoralis major) 위에 위치하며 2번째에서 6번째 갈비뼈 높이에 걸쳐 있다.

스타벅스의 로고는 그리스 신화에 나오는 괴물, 세이렌의 일화에서 유래되었다. 반인반어(半人半漁) 세이렌은 아름다운 목소리로 노래를 불러 바다를 지나가는 여행자들을 유혹했다. 세이렌의 노랫소리를 들은 여행자들은 유혹을 이기지 못하고 바다에 빠져 죽었다. 트로이 전쟁을 승리로 끝내고 집으로 돌아가던 오디세우스는 세이렌이 있는 바다를 지나게 되었다. 부하들은 귀에 밀랍을 발라서 소리를 듣지 못하게 했지만, 세이렌의 노랫소리를 듣고 싶었던 오디세우스는 귀에 밀랍을 바르지 않고 부하들에게 돛대에 자신을 묶도록 했다. 그는 단단히 묶여 있었기에 세이렌의 유혹에도 죽지 않고 무사히 고향에 도착할 수 있었다. 세이렌의 노래는 연인이 속삭이는 사랑의 밀

허버트 제임스 드레이퍼. <오디세우스와 세이렌>, 1910년,
112 x 208cm, 캔버스에 유화, 테이트 브리튼 미술관

어(密語)처럼 귀를 자극했다고 한다. 제임스 드레이퍼의 작품 속에서 마치 마약에 취한 것 같은 오디세우스를 보면 세이렌의 유혹이 얼마나 강력한지 느낄 수 있다.

애당초 오디세우스가 참여한 트로이 전쟁 자체가 복잡한 이성 관계에서 비롯된 전쟁이었다. 트로이 전쟁 이야기가 오디세우스가 귀환하면서 막을 내린다면, 트로이 전쟁의 시작은 파리스의 선택으로부터 시작됐다. 파리스는 헤라와 아테나 그리고 아프로디테 세 여신 중 가장 아름다운 여신에게 황금사과를 주어야 했다. 헤라는 자신을 선택하면 권력을 주겠다고 약속했고, 아테나는 전쟁에서의 승리를 주겠다고 약속했다. 하지만 파리스는 가장 아름다운 여인을 만나게 해주겠다는 아프로디테의 약속에 더 이끌렸다. 아프로디테를 선택한 파리스는 가장 아름다운 여인인 헬레네를 차지하지만, 그 대가로 트로이 전쟁

페테르 파울 루벤스, <파리스의 심판>, 1632~1635년,
캔버스에 유화, 144 X 193 cm, 프라도 미술관

이 시작되었고 결국 조국의 패망을 초래하고 본인도 죽음을 맞이하고만다.

누구도 죽일 수 없었던 영웅의 약점은 바로 자신이었다

트로이 전쟁의 최고 영웅은 그리스군의 아킬레우스였다. 그는 트로이 최고의 장수인 헥토르와의 결전에서 승리하며 유명세를 떨쳤다. 그러나 헥토르를 이기고 얼마 지나지 않아, 아킬레우스는 폴릭세네라는 여인에 반하여 그녀를 만나러 갔다가 적국의 왕자 파리스가 쏜 독화살을 발목에 맞아 죽게 된다. 바다의 여신 테티스는 아들 아킬레우스가 유한한 삶을 사는 인간이었기에 저승의 스틱스강에 그의 몸을 담가 어떤 상처도 그를 죽일 수 없는 무적의 몸으로 만들었다. 그러나 그에게도 약점이 있었다. 테티스가 손으로 잡고 있던 탓에 강물에 닿지 않았던 발목 부위였다. 당대 최고의 전사였던 아킬레우스는 자신의 약점인 발목을 노출했다가 허무한 죽음을 맞이하고 말았다. 여자에 관심을 좀 덜 가지거나 발목을 노출하고 다니지 않았다면 살았을텐데, 안타깝게도 아킬레우스는 충분히 조신(?)하지 못했다. 발목에 있는 힘줄의 이름을 '아킬레스건(Achilles tendon, calcaneal tendon)'이라고 부르는데, 흔히 '치명적 약점'이라는

아킬레스건에 화살을 맞는 아킬레우스

뜻으로 쓰인다. 이 힘줄은 장딴지근육(gastrocnemius), 가자미근(soleus), 장딴지빗근(plantaris)이 합쳐져서 발꿈치뼈(calcaneus)의 뒷면에 닿는 부분이다. 장딴지에 있는 매우 큰 근육 부위에 비해 상대적으로 작은 힘줄이 약하기 때문에 이러한 말이 유래되었다.

종아리의 뒤에 있는 근육은 정강뼈와 종아리뼈의 뒤에 위치하며, 가로근육사이막에 의해 얕은층과 깊은층으로 나뉜다. 얕은층에는 3개, 깊은층에는 4개의 근육이 있으며 발바닥굽힘(족배굴곡, plantar flexion)과 안쪽번짐(eversion), 발가락굽힘에 작용하고, 정강신경(경골신경, tibial nerve)의 지배를 받는다. 얕은층에 앞서 말한 장딴지근(비복근, gastrocnemius muscle)과 가자미근(soleus muscle), 장딴지빗근(족척근, plantraris muscle)이 있다. 두 갈래를 가진 장딴지근와 가자미근을 종아리세갈래근 (하퇴삼두근, triceps surae muscle)이라 하며, 발꿈치뼈를 들어올려 발바닥굽힘을 할 뿐 아니라 걷거나 뛸 때 강력하게 작용한다. 종아리세갈래근과 발꿈치힘줄은 직립 보행하는 사람에게 잘 발달해 있다.

트로이 전쟁 이야기는 우리에게 욕망을 잘 참고 가릴 것을 가리는 것이 중요하다는 것을 말하는 듯하다. 잘 가리고 잘 참는 사람이 스스로와 국가를 지켜냈다. 그러지 못했던 사람은 끝이 좋지 않았다. 이즈음에서 스타벅스로 다시 돌아와서 로고를 생각해본다. 스타벅스의 로고는 외설적이라고 할 수 있을까? 스타벅스 커피를 마실 때마다 사이렌과 오디세우스를 떠올려볼 뿐이다.

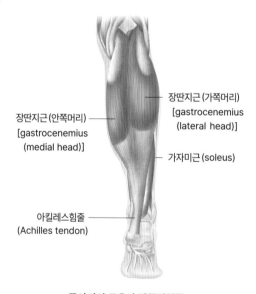

종아리의 근육과 발꿈치힘줄

영웅 아킬레우스는 어쩌다 약점 아킬레스가 되었을까?

- 유방은 모유를 분비하는 젖샘인 유선과 지방세포로 구성된다. 유선에서 만들어진 모유는 젖관을 통해 젖꼭지로 배출된다.

- 젖꼭지 주위를 검게 둘러싼 부분을 유륜(areola)이라고 하며, 피지를 분비하여 모유 수유 시 마찰과 압력을 견딜 수 있게 도와준다.

- 유방의 형태와 크기는 피하지방의 양과 쿠퍼 인대의 구조에 의해 결정된다.

- 발뒤꿈치에 있는 힘줄의 이름을 '아킬레스건(Achilles tendon, calcaneal tendon)'이라고 부르는데, 흔히 '치명적 약점'이라는 뜻으로 쓰인다. 장딴지의 매우 큰 근육에 비해 상대적으로 힘줄이 작기 때문에 이러한 말이 유래되었다.

- 장딴지근와 가자미근을 종아리세갈래근이라 부른다. 종아리세갈래근과 아킬레스건은 직립 보행하는 사람에게 잘 발달해 있다.

유레카! 위처럼 인내하라!

우연 혹은 운명이 만드는 엄청난 행운

세이렌과 오디세우스의 이야기에서 알 수 있는 것처럼 유혹을
참는다는 것은 매우 중요하며, 이것이 때로는 엄청난 성과를
만들기도 한다. 의학계에서도 위대한 발견들이 인내하고 참는
습관에서 나온 경우가 많다. 인생에서 전혀 예상하지 못한 사
고를 경험해 본 적이 있는가? 우리는 인생에서 전혀 예상치 못
한 우연한 사고를 맞이할 수 있다. 하지만 아주 가끔 우연이라
고만은 할 수 없는 일이 도움이 될 때도 있다. 이런 경우를 '세
렌디피티(serendipity)'라고 부른다.

　의학 분야에 있어 가장 유명한 일화는 알렉산더 플레밍(Alexan
der Fleming)의 페니실린(penicillin)의 발견이다. 항생제가 개

알렉산더 플레밍(1881-1955)

발되기 전이었던 제1차 세계대전 당시, 헤아릴 수 없을 만큼 수많은 군인이 세균 감염으로 사망했다. 당시 군의관으로 복무하고 있던 플레밍은 감염된 군인들이 죽어가는 모습을 보면서 절망감과 참혹함을 느꼈다. 제1차 세계대전 이후, 플레밍은 세균을 죽일 수 있는 물질, 즉 항생제를 찾기 위해 연구에 매진하기 시작했다. 오랫동안 연구에 매진했지만, 돌아오는 것은 주변의 조롱뿐이었다.

플레밍이 약 10년간의 연구로 슬슬 지쳐갈 때쯤, 운명의 장난이 일어났다. 배양 접시를 배양 용기에 넣어야 하는데, 실수로 실험대 위에 뚜껑을 닫지 않고 여름휴가를 다녀온 것이다. 휴가를 다녀온 뒤, 배양 접시 위에 푸른색 곰팡이가 들어가 있었다. 우연히 배양접시 안으로 날아온 푸른색의 곰팡이 주변에 세균이 존재하지 않는다는 것을 확인한 것이다! 플레밍은 곧바로 푸른색 곰팡이를 배양하여 다양한 세균 배지에 넣었다.

놀랍게도 이 곰팡이는 세균 배지에 투입될 때마다 다양한 세균들을 '학살'하고 다녔다. 그것이 대량 생산된 형태가 지금의 항생제 페니실린(penicillin)이다. 페니실린은 이후 세계 2차대전에서 셀 수 없이 많은 생명을 살렸고, 의학계의 엄청난 발전의 기반을 다졌다. 이 공로 덕분에, 플레밍은 1945년 노벨생리의학상을 수상했다. 플레밍의 노력과 행운이 모두 작용한 덕분에 발생한 세렌디피티였다! 플레밍이 항생제 연구를 중도에 포기했었더라면? 푸른색 곰팡이가 배양 접시로 날아오지 않았더라면? 우리는 21세기 현재까지도 세균 감염을 치료하지 못하고 소독약만 바르며 감염이 나아지기만을 바라고 있을지 모른다.

인체에서 세렌디피티가 있다

인체의 여러 기관 중에서도 위는 세렌디피티와 밀접한 관계가 있다. 첫 번째로 위의 기능이 발견된 사건이 세렌디피티였기 때문이다. 1822년 6월 6일, 미국 미시건주 총기 가게에서 한 손님의 실수로 산탄총 오발 사고가 났다. 오발탄은 가게의 물건을 고르던 알렉시스 생 마르탱(Alexis St.Martin)의 복부를 향했고 그의 위 앞쪽에 구멍을 냈다. 마르탱은 갈비뼈가 부러지고 여러 장기에 손상을 입었다. 당시 주변 지역에서 근무 중이던 외과 군의관 윌리엄 버몬트(William Beaumont)는 즉시 현장으로 나섰다.

버몬트는 마르탱이 하루 이틀을 넘기지 못하고 죽을 것이라고 진단하며, 최선을 다해 응급처치를 실시했다. 버몬트의 응급처치 덕분에 마르탱은 생존할 수 있었고, 다행스럽게도 추가적인 감염이 발생하지 않았다. 마르탱은 다행히 목숨을 건질 수 있었지만, 전혀 생각지도 못한 다른 문제가 발생했다.

윌리엄 버몬트(1785-1853)의 초상

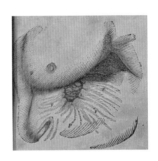

총상을 입은 알렉시스
생 마르탱(1802-1880)의 상처

밥을 먹으면 음식물이 정상적으로 식도와 위를 거쳐 소장으로 이동해야 하는데, 음식물이 위 앞쪽의 구멍으로 새어 나오는 것이다. 군의관 버몬트는 마르탱을 지켜보다가 위의 기능에 관해 연구할 수 있겠다고 판단했고, 마르탱과 인체의 생리학 실험에 대한 계약을 맺었다. 버몬트의 실험 전까지만 해도, 위의 기능이 무엇인지 구체적으로 밝혀지지 않았다. 버몬트의 실험은 무려 10년 동안 238회나 진행되었는데 실험 방법이 상당히 기상천외했다. 버몬트는 음식물을 실에 묶어 마르탱의 위 구멍에 넣었고, 일정 시간이 지나면 음식물을 꺼내서 소화가 진행된 정도를 관찰했다. 온도를 바꿔가며 온도에 따라 위에서 소화되는 양이 다른지도 확인했다고 한다. 놀랍게도, 완전한 소화가 되지 않은 음식물은 버몬트 자신이 직접 맛보기도 했다.

버몬트가 생명의 은인이었기에 마르탱은 실험에 전반적으로 잘 협조하려고 노력했지만, 실험 때문에 육체적으로 매우 괴로웠다. 때로는 참지 못하고 도망치기도 했는데 마르탱을 찾는 데 4년이나 걸렸던 적도 있다고 하니, 마르탱이 얼마나 괴로웠을지 짐작할 수 있다. 실험 중 재미있는 일화가 하나 있다. 마르탱이 버몬트에게 화를 낸 적이 있는데, 위에서 위산의 분비가 줄어들었고, 평소 소화가 되기까지 4시간 걸리던 고기가 6시간이나 걸려서 소화되었다. 이 사건을 통해 스트레스가 소화를 억제한다는 사실이 밝혀졌다고 한다. 이러한 기상천외한 실험을 시작한 지 8년이 지나고, 실험의 결과가 〈위액과 소화 생리의 실험과 관찰〉이라는 논문으로 출판되었다. 이 논문을 통해 기존의 의학 지식에 비해 위의 기능이 훨씬 더 구체적으로 밝혀진 셈이다.

위의 기능 발견도 페니실린의 발견과 마찬가지로 행운과 노력이 함께 있었기에 이룰 수 있었던 업적이다. 총기 오발 사고는 마르탱에게 있어 절망적인 사고였지만, 당시 군의관이었던 버몬트를 만나서 목숨을 건졌다. 이후 긴 시간 동안 기상천외하

고 고통스러운 실험을 인내한 덕분에 의학 발전에 크게 기여할
수 있었으니 말이다.

인체에서 세렌디피티가 있다

위가 세렌디피티와 밀접한 관련성이 있다는 두 번째 이유도 같
은 맥락에서 나온다. 위는 영어로 stomach인데, 이는 '인내
하다, 참다'라는 의미도 동시에 가지고 있다. 세렌디피티를 경
험했던 과학자들이 오로지 우연한 '행운'만 가지고 있었던 것
은 아니다. 플레밍은 동료들의 조롱을 참으며 10여 년을 페니
실린 연구에 몰두했고, 버몬트와 마르탱도 약 10년 동안이나
실험을 이어 나갔다. 그들과 이름이 알려지지 않은 누군가의
'위(stomach)'가 있었기에 우리 인류는 한 걸음 더 진보할 수
있었다.

이제부터는 의학적으로 위에 대해 좀 더 자세하게 파헤쳐
보자. 위는 척추뼈로 본다면 열한째 등뼈 높이에서 식도와 연
결되고, 첫째허리뼈 높이에서 샘창자와 연결되는 소화기관
이다. 배의 정중앙에서 약간 왼쪽에 위치하지만 위 안의 내용
물의 양과 체위에 따라 모양이 변한다. 위의 용량은 성인에서
약 1.5~2.0리터 정도이다. 위의 구조는 크게 4가지로 구분
한다. 식도와 연결되어 위로 들어가는 들문(cadria), 해부학적

으로 가장 윗부분이지만 위안에서 바닥을 형성하는 위바닥(fundus), 중간에 가장 넓은 부분인 위몸통(body), 소장으로 연결되는 날문(pylorus)이다.

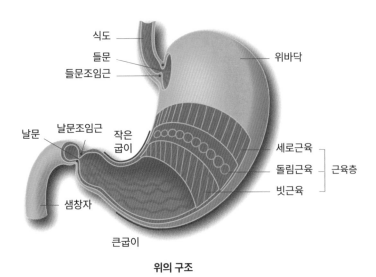

위의 구조

뷔페나 무한리필 식당에서 과식한 경험은 누구나 가지고 있을 것이다. 과식하면 많은 양의 음식물이 위를 거쳐 소장으로 이동하여 소화기에 무리를 준다. 이때 중요한 역할을 하는 것이 날문조임근(pyloric sphincter)이다. 이름에서 알 수 있듯이, 속 안의 공간을 좁히는 근육으로 위에서 소장으로 넘어가는 음식물의 양을 제한하는 것이다. 이 조임 작용은 소장에서 위로 음식물의 역류를 방지한다. 음식물이 위로 통과시키는 관문 역할을 하는 것이다. 날문조임근이 너무 두꺼워도 문제가

의대생들의 수다

생기는데, 태어날 때부터 선천적으로 날문조임근이 심하게 두터워진 경우를 선천비대날문협착증(congenital hypertrophic pyloric stenosis)이라고 부르며, 섭취한 음식물이 위를 지나지 못하고 다시 내뱉는 분출성 구토 증상이 생긴다.

'비위가 좋다', '비위가 약하다', '비위가 상하다', '비위를 맞추다'라는 말을 들어본 적이 있을 것이다. 비위란 우리 몸의 비장(spleen)과 위를 의미한다. 그런데 이상하지 않은가. 흔히 '비위 맞추다'라고 하면, '상대방의 기분을 맞춘다'라고 이해하지, '상대방의 위와 비장을 맞춘다'라고 생각하지는 않기 때문이다. 과거 조상들은 비위는 인체 내에서 소화 역할을 했기 때문에, 비위가 우리가 먹는 음식물을 받아들이고 내보내는 것과 같이 '상대방의 감정과 마음도 받아들이고 흘려 내보낸다'로 의미가 확장하여 비위라는 단어를 사용한 것이다. 비유적인 의미로 확장되어 쓰인다고 해도, 현대 의학의 관점에서 보면 아쉬운 점이 조금 있다. 위는 명백히 소화에서 중요한 역할을 하는 것이 맞지만, 비장은 소화기의 역할보다 면역계의 역할에 충실한 기관이기 때문이다. 비록 과거엔 현대보다 의학지식이 부족했지

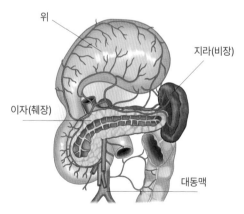

비장의 해부학적 위치

만, 위의 이름대로 참고 인내했기에 화려한 세렌디피티를 통해
의학이 발전하지 않았을까.

의대생들의 요약

유레카! 위처럼 인내하라!

- 알렉산더 플레밍이 페니실린을 발견한 것과 버몬트가 마르탱의 총
  기사고에서 위(stomach)의 기능을 발견한 것처럼, 우리 모두의 인
  생에서 우연 또는 운명이 작동한다.
- 인내를 의미하는 '위'는 들문, 위바닥, 위몸통, 날문으로 구성되어
  있다. '비위'는 비장과 위를 의미하는데, 사실 비장은 소화기관이 아
  니고 면역작용을 담당한다.

구미호는 왜
인간의 간을 좋아했을까?

내가 피로한 건 간 때문이야?

몇 년 전, '간 때문이야, 간 때문이야, 피곤한 건 간 때문이야'를 외치는 어느 제약회사의 음료 광고가 유행한 적이 있었다. 흥겨운 멕시코 민요인 라쿠카라차를 거꾸로 돌린 멜로디에 '피곤은 간 때문이야'를 익살스럽게 외치는 유명 축구선수의 모습이 겹치며 많은 인기를 끌었다. 하지만 어느 순간부터 '피로는 간 때문이야'라는 문구 대신 '건강한 간 덕분이야'라는 가사가 들리기 시작했다. 알고 보니 '피곤한 건 간 때문이야'라는 광고음악이 모든 피로의 원인을 '간 때문으로' 착각할 수 있다는 방송통신위원회의 판단으로 문구가 교체된 것이라고 한다. 그렇다면 피로와 간은 어떤 관련이 있을까? 모든 피곤이 간 때문인

것은 아니지만 간의 해독과 대사기능이 원활하게 진행되지 않으면 피로감을 쉽게 느낀다. 실제로 만성피로 환자의 20퍼센트는 간 기능 이상 진단을 받는다는 연구도 있다. 그렇다면 간은 어떤 장기이고 어떤 기능을 담당하고 있을까?

우리 몸의 모든 내장 기관 중에 가장 큰 장기

간은 우측 갈비뼈 안에 위치하며 오른쪽 횡격막 아래쪽에서 위를 덮고 있는 붉은 빛의 장기로 우리 몸의 모든 내장 기관 중 가장 크다. 오른쪽 갈비밑부위와 명치부위에 위치하며 가로막(diaphragm) 밑에 부착되어 있고 위, 콩팥, 잘록창자, 샘창자, 쓸개 등과 접하고 있어 불규칙한 형태를 하고 있다. 간은 낫인대에 의해 좌우로 엽이 나누어지고, 오른엽 뒤에는 쓸개가 연결되어 있다. 실제 장기를 보면 매끈매끈하며 다른 장기들과는 비해 상당히 단단하다는 느낌마저 든다. 간의 무게는 보통 성인 기준 1.2킬로그램 정도로 커다란 생김새만큼이나 하는 일도 많다. 인체의 화학 공장이라 불리며 독소를 제거하는 해독기능과 함께 여러 조직에서 필요한 영양소를 만드는 등 간이 하는 일만 무려 500여 가지에 달한다.

간의 여러 기능 중 가장 중요한 기능이 바로 해독작용이다. 간은 우리 몸에 들어온 독성 물질이나 노폐물을 무해 성분으로 바꾸어 체외로 배출하는 정화조 역할을 하고 있다. 이때 독소의 양이 많으면 간에 과부화가 걸려서 기능이 떨어질 수밖에 없는데 간이 제 기능을 하지 못해서 지용성인 독소가 그대로 유지되면 뇌와 세포막 혹은 생식기에 가서 붙게 된다. 간이 나쁠 때 집중력이 떨어지고 쉽게 피로하며 성욕이 감퇴하거나 불임이 오는 것도 이 때문이다.

간은 우리 몸에 필요한 여러 물질을 만드는 왕성한 생산자이다. 하루에 1리터의 쓸개즙을 만들어 지방의 소화를 돕고 단백질 합성을 통해 혈액응고인자와 알부민 등을 만든다. 간경화같은 질환의 경우 그 기능이 저하되어 쉽게 코피가 나거나 멍이 들고 복수가 차게 되는 이유가 바로 단백질이 부족해지기때문이다. 또한 간은 우리 몸에서 가장 큰 장기이자 저장 창고

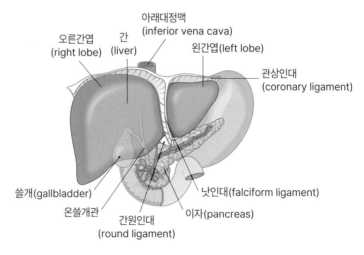

간과 주변 구조물

이다. 소화기관을 거쳐 흡수된 포도당을 글리코젠으로 바꾸어 저장했다가 필요할 때 포도당으로 바꿔 쓰게 한다. 영양소를 과잉 섭취했을 때는 간이 영양소를 지방으로 전환해 저장하는데, 지방이 너무 많이 저장되어 간세포까지 파괴되는 경우를 지방간이라고 한다.

제2의 심장이자 영양분이 가장 풍부한 장기

이처럼 간은 우리 몸에서 이렇게 중요한 일들을 하고 있기에 제2의 심장이라 불리며 한국 속담이나 전설 속에서도 빈번히 등장한다. '벼룩의 간을 내어 먹는다'라는 속담은 어려운 처지에 있는 사람에게서 금품을 뜯어냄을 비유적으로 이르는 말이며, '간이 콩알만해지다'라는 말은 뜻밖의 일이나 놀라운 일이 닥쳤을 때 사용되는 속담으로 과일로 치면 멜론 크기의 간이 콩알만해진다는 것은 우리 몸에서 중요한 역할을 하는 간이 콩알만큼 작아져서 어려움을 겪게 된다는 의미로 사용되었을 것이다. 또한 '간에 기별도 안 간다'라는 속담도 많이 사용하는데 음식이 모자라 너무 적게 먹어서 중요 장기인 간에 영양분이 제대로 공급되지 못할 정도로 빈약함을 강조하는 의미가 아니었을까. 우리 조상들도 간이 그만큼 중요함을 알고 만든 속담일 것이다. 그 외에도 '간이 부었다', '간이 배 밖으로 나왔다'는 말을 쓰는데, 추진력과 결단력이 있는 사람을 가리켜 '간이 크다'라고 표현하는 좋은 의미와는 달리 용기를 넘어 지나치게 무모한 행동을 가리키는 말로 사용되기도 한다.

한국, 중국, 일본 전설 중에 꼬리 아홉 개 달린 여우(구미호)가 산속에서 사람의 간을 빼어 먹고 인간으로 환생하는 이야기가 전해진다. 왜 구미호는 많고 많은 장기 중에서 간을 좋아했을까? 간에는 많은 양의 지용성 비타민과 영양분이 들어있어 인체 장기 중에서도 가장 핵심적인 장기이기 때문이다. 동물에서 채취한 요리로 따지면 손꼽히는 고급 요리인 셈이다. 실제로 생태계에서도 백상아리의 간만 내어 먹고 사라지는 범고래라든지 영양분이 가장 풍부한 간만을 골라 먹게 진화한 동물들을 종종 볼 수 있다고 한다.

〈산해경〉에 실린 구미호의 삽화
(출처: 위키백과)

프로메테우스가 영원히 고통받은 이유

간과 연관된 이야기는 한국뿐만 아니라 외국 신화에서도 찾아볼 수 있다. 대표적인 것이 그리스 신화에 나오는 '프로메테우스' 이야기이다. 프로메테우스는 신들의 소유였던 불을 훔쳐 인간들에게 전달한 죄로 제우스로부터 벌을 받게 된다. 제우스는 그를 코카서스의 바위산에 묶고, 독수리가 그의 간을 쪼아 먹게 하였다. 그러나 프로메테우스는 불사의 신이고 매일 간이 '재생'되었기 때문에 영원한 고통을 받아야만 했다. 이 시련은 대영웅 헤라클레스가 프로메테우스의 간을 쪼아 먹는 독수리들을 해치우고 쇠사슬을 풀어주기 전까지 계속되었다고 한다.

이 신화를 해부학적인 관점에서 보면 재미있는 요소가 하

페테르 폴 루벤스, <묶여있는 프로메테우스>, 1611~1612년경,
캔버스에 유화, 242x209cm, 필라델피아 미술관

나 있다. 그것은 바로 프로메테우스의 간이다. 사실 프로메테우스가 불사신이 아니고 유한한 생명력을 가진 인간이더라도, 간세포의 대사가 제대로 이루어진다면 독수리들이 매일 조금씩 간을 쪼아 먹어도 살았을 것이다. 인체에서 가장 재생이 잘되는 장기가 간이기 때문이다. 일례로, 간 절제술 후 6개월이 지나게 되면 전체 간 부피의 약 80퍼센트 이상이 재생되고 간기능은 거의 100퍼센트를 회복한다. 간세포가 부분적인 간 절제술 등의 자극을 받으면 현저한 재생 능력이 나타나기 때문이며 인체의 장기 중 유일하게 재생 가능하고 간 공여 수술 성공률이 높은 것도 바로 이 때문이다. 그렇다면 간은 늘 재생이 잘되는 것일까? 일반적인 경우에서는 그렇겠지만 간세포의 염증이 반복되어 간에 섬유화가 일어나게 되면 간의 재생 능력도 현저히 떨어진다.

해독작용에 도움이 되는 간

간은 해독작용을 하기에 몸에 들어온 알코올도 분해하는데, 빠르게 체내의 알코올 농도가 올라가게 되면 간에서 분비되는 알코올분해효소가 부족하게 되어 알코올을 제대로 분해하지 못하게 된다. 또한 알코올이 흡수되는 과정에서 혈중 중성지방수치가 높아지고 이 중성지방은 간에 잘 축적되어 지방에 간

무게의 5퍼센트 이상 침착되는 알코올성 지방간을 유발한다고 한다. 이러한 지방간은 지방간염으로 진행할 수 있고, 드물지 않게 간경변이나 간암으로 진행될 수 있으므로 주의해야 한다.

어린 시절, 술을 마시는 어른들을 보며 술은 어떤 맛일까 궁금했었다. 누군가는 술이 혈액순환에 도움이 된다거나 달콤하니 기분이 좋아진다는 등의 이야기로 술이 주는 순기능을 역설하기에 맛에 대한 호기심이 더 컸던 것 같다. 스무 살에 성인식을 치르듯 벅찬 가슴으로 친구들과 함께 맛본 술은 기대했던 예상을 한참이나 빗나가게 했다. '달콤'이라고는 찾아볼 수 없었으나 친구들 앞에서 자존심을 굽히고 싶지 않았던 터라 쓰디쓴 술을 원샷으로 마셨던 그날의 기억을 생각하면 쓴웃음이 난다. 그날 이후 많은 시간이 흘렀고 술맛이 더 달콤해지지는 않았지만, 술은 늘어만 가는 고민을 잠시 잊게 해주는 안식의 시간에 함께하거나, 사람들 사이에 흐르는 어색함을 풀어주기도 하고, 평소 하지 못했던 깊은 얘기를 꺼내게도 하기 때문에 어른들이 이야기하던 술의 순기능을 지금은 어느 정도 이해하게 된 셈이다.

그러나 간이 건강하다고 술을 지나치게 먹는 일은 삼가야 한다. 사람이 술을 먹는 것이 아니라 술이 사람을 먹게 되면 큰일이지 않겠는가? 우리나라 남성 암 사망 원인 2위가 바로 간암이며 50대 남성들의 빈도가 높다. 술이 주는 순기능을 포기할 수 없다면 절주라도 하는 것이 좋겠다. 세계보건기구(WHO)

는 성인의 적정 음주량으로 남자 성인은 1회 알코올 섭취량으로 40그램(소주 4잔) 미만, 여자 성인은 1회 20그램(소주 2잔) 미만을 제시하였다. 우리 몸의 간도 힘든 하루를 보낸 이에게 이 정도의 술은 충분히 이해하지 않을까 싶겠지만, 오늘부터라도 간 건강을 위해 과도한 음주를 삼가고 '건강한 간 덕분이야'라고 말할 수 있길 바란다.

의대생들의 요약

구미호는 왜 인간의 간을 좋아했을까?

- 간(liver)은 우리 몸에서 가장 큰 장기로, 단백질 등 다양한 영양소 생산을 담당하며 해독 기능을 통해 우리 몸의 정화조 역할도 담당한다. 하지만 해독할 독소의 양이 너무 많거나 영양소를 과다 섭취하게 되면 간에 과부하가 와서 지방이 너무 많이 저장되는 지방간이 생기기도 한다.
- 간은 인체에서 가장 재생이 잘 되는 장기로, 프로메테우스 신화에서 독수리가 그의 간을 일부 쪼아먹었다고 해도 빠르게 재생이 되어 다음날 또 독수리에게 간을 쪼이는 끝없는 형벌을 받게 된다.
- 간은 몸에 들어온 알코올도 분해되는데, 알코올을 과도하게 섭취하면 흡수되는 과정에서 중성지방이 축적되어 알코올성 지방간이 생기기도 한다. 이러한 지방간은 지방간염, 그리고 간경변이나 간암까지 진행될 수 있으므로 과도한 음주는 삼가하는 것이 좋다.

쓸개의 쓸모

쓸개가 없으면 줏대도 없다?

자기에게 돌아오는 이익에 따라 태도를 바꾸는 사람을 빗대어 '간에 붙었다. 쓸개에 붙었다'라고 말한다. 간담(肝膽)은 간과 쓸개를 말하는데 간과 쓸개는 우리 몸의 중요한 기관으로 쓸개는 간 바로 밑에 위치하여 마치 간에 달라붙어 있는 것처럼 보이며 기생충이 영양분을 빨아먹으려고 우리 몸의 간에 붙기도 하고 쓸개에도 붙는다고 하니 이를 두고 만들어졌다고 풀이하기도 한다.

쓸개는 간에 붙어있는 작은 주머니인데 왜 쓸개라는 이름이 붙었을까? 쓸개(담낭, gallbladder)는 간의 오른엽과 네모엽 사이인 쓸개오목에 위치한다. 길이 7~10센티미터, 폭 2.5센티

미터 정도 되는 서양배와 같은 형태의 주머니로 30~35밀리리
터 정도의 쓸개즙(담즙, bile juice)을 저장하고 있다, 쓸개는 쓸
개바닥(fundus of galbladder), 쓸개몸통(body of galbladder), 쓸
개목(neck of galbladder)의 세 부분으로 나뉜다. 쓸개바닥은 가
장 넓은 부분으로 간의 아래 모서리에서 약간 돌출되어 있는
둥근 부분이다. 쓸개몸통은 쓸개의 대부분을 차지하며, 쓸개목
은 길이 4센티미터 정도의 쓸개주머니관(담낭관, cystic duct)에
이어지는 좁은 부위이다.

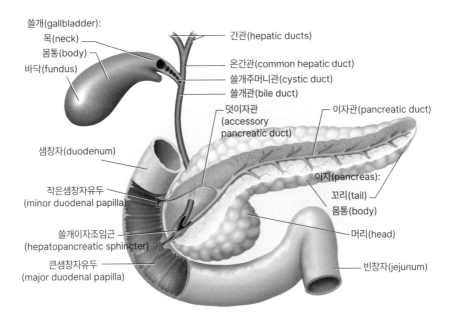

쓸개와 주변 구조물

간은 위산을 중화시키고 지방의 흡수를 도와주는 담즙을 생성하는데, 쓸개가 이 담즙을 약 10배 정도로 농축하고 저장한다. 그리고 필요시 온쓸개관(총담관, common bile duct)으로 쓸개즙을 보내어 샘창자로 분비되도록 한다. 쓸개는 이러한 담즙을 저장하는 '낭'이라고 해서 '담낭'이라는 이름으로도 불린다. 이 담즙은 쓸개즙이라는 이름으로도 불리는데, 매우 쓰기 때문에 '쓸개'라는 이름이 붙었다. 사자성어 '와신상담(臥薪嘗膽)'의 마지막 한자는 '쓸개 담'으로 '땔나무 위에 눕고 쓸개를 맛보다'는 한자 풀이에서 알 수 있듯이 '계획한 일을 이루기 위해 온갖 고난을 참고 견디어 낸다'라는 의미로 쓸개의 쓰디쓴 맛을 간접적으로 표현하고 있음을 알 수 있다.

이러한 쓸개에 저장된 담즙은 음식물이 들어오면 담관을 통해 샘창자(십이지장)로 분비되어 지방과 콜레스테롤 대사에 도움을 준다. 하지만 쓸개에 저장되는 담즙을 구성하는 콜레스테롤, 지방산 담즙산염의 성분 비율에 변화가 생기게 되면 침전하게 되고 마치 돌과 같은 알맹이를 생성하게 된다. 이를 우리는 담낭 결석, 줄여서 담석이라고 부르는 것이다. 담낭 결석은 대부분 증상이 없지만, 담석이 담낭을 빠져나와 담관 통로를 막게 되면 명치와 오른쪽 상복부에 지속적이고 심한 통증이 생길 수 있다.

이런 경우, 담낭을 절제하는 수술을 통해 아예 담석이 생성될 여지를 주지 않는 치료를 하기도 한다. 그렇다면 담낭이 없어지면 담즙은 어떻게 십이지장으로 공급되는 것일까? 이는 간에서 생성되는 담즙 중 일부가 직접 십이지장으로 배출되기에 가능하다. 그래서 쓸개를 제거하게 되더라도 간에서 직접 흘러나오는 담즙 덕분에 건강에는 지장이 없다고 한다. 실제로 포유동물 중에서도 말과 사슴, 쥐, 코끼리 등의 동물들에게는 실제로 쓸개가 없다고 한다. 그럼에도 많은 양의 지방이 들어오게 된다면, 담즙의 양이 부족하기에 소화불량이 초래될 수 있다. 따라서 기름진 음식을 소량으로 나눠 먹는 것이 도움이 된다.

선천적으로 담낭이 없는 동물들

쓸개엔 잘못이 없다

쓸개는 아마도 우리 속담에 가장 빈번하게 사용되는 장기일 것이다. 우리 조상들은 쓸개를 단순한 신체 기관으로 여기지 않고 정신적인 면과 연관 지어 생각했던 것 같다. 그래서 쓸개를 '중정지관(中正之官)', 즉 바른 것을 관장하는 기관으로 결단력과 담력 등의 기능을 한다고 여겼다. 그래서 지조나 줏대가 없는 사람에게는 '쓸개 빠진 놈'이라는 말을 사용하기도 했다. 그렇지만 현대 의학으로 보면 쓸개가 빠졌다고 해서 사람이 줏대가 없어지는 것은 아니다. '담대하다'라는 말도 마찬가지다.

과연 쓸개가 크면 겁이 없어 담대해질까? 쓸개 탓이 아닐 확률이 매우 크다. 그러나 우리가 어떤 상황을 표현하는 데 있어 이러한 속담들은 세대를 걸쳐 이미 사람들의 뇌리에 깊게 박혀버렸다. 이제는 관용구처럼 사용되고 있는 이 속담의 의미는 우리는 알고 있기에 이치에 맞지 않지만 계속 사용할 것이다. 이미 관용구처럼 사람들 생활 속에 깊이 스며들어 있는 속담들을 굳이 과학적 사실을 들추며 틀렸다고 주장하는 것보다는 그 의미에 방점을 두는 것이 타당하다고 본다. 물론 '쓸개 빠진 놈'이라는 표현을 사용하는 것도 조심하는 게 좋다. 요즘은 담석과 같은 담낭 질환으로 어쩔 수 없이 쓸개를 제거한 사람이 많으니 말이다.

쓸개의 쓸모

- 간은 위산을 중화시키고 지방의 흡수를 도와주는 담즙을 생성하는데, 이러한 담즙을 간에 붙어있는 작은 주머니인 쓸개(gall bladder)가 저장한다.
- 쓸개는 이러한 담즙을 저장하는 낭이라고 해서 '담낭'이라는 이름으로도 불리는데, 이러한 담즙의 구성성분에 변화가 생기면 돌과 같은 알맹이인 담석이 생겨 명치와 오른쪽 상복부에 지속적이고 심한 통증이 생긴다. 이러한 증상이 있다면 담낭을 절제하는 수술을 시행하기도 한다.

누워서 떡 먹기, 절대 하지 마라

누워서 떡 먹다 죽은 사람들

그다지 어렵지 않은 일을 가리켜 우리나라에는 '누워서 떡 먹기', '식은 죽 먹기'라는 속담이 있고 영어권에는 'a piece of cake'라는 말이 있다. 누워서 떡 먹기는 정말 쉬울까? 식은 죽 먹기는 아이들도 도전해 볼만큼 쉬운 일 같지만, 누워서 떡 먹는 일은 생각보다 어렵다. 그렇다면 왜 누워서 떡 먹기라는 속담이 나온 것일까? 이것은 한국인의 가옥 구조 및 안방 생활과 관련이 있다고 한다. 한국은 방바닥이 온돌 구조로 되어있어 누워있는 자세가 편한 자세라고 한다. 그러나 천장을 바라보고 누워있는 자세만 누워있다고 하지 않는다. 옆으로 누운 자세도 눕는다고 표현할 수 있으며 이는 누워있는 부처인 와불의 모습을 통해 확인 할 수 있다. 특히 '보료'라고 하는 침구가 발달하였는데 이 중에 베개 모양의 '잠침'에 기대어 옆으로 누워있는 자세가 매우 편한 자세라고 한다. 이렇게 옆으로 누워있는 자세에서는 음식을 섭취하는 것도 충분히 가능해 누워서 떡먹기라는 속담도 나온 것이다.

그렇다면 천장을 바라보고 떡을 먹는 것은 어떨까? 어려운 것은 둘째로 치더라도 매우 위험한 행동이다. 떡이 목에 걸려 공기가 들어가는 기도를 막으면 숨을 쉬지 못하기 때문이다. 숨을 쉬지 못하면 산소 공급이 부족해지고 이는 뇌 손상과 심장마비로 이어져 응급한 상태가 된다. 실제로 해마다 많은 사람이 음식물에 의한 기도 폐쇄로 사망한다. 음식물 중에서도 떡을 먹다가 일어나는 기도 폐쇄 사고가 가장 많은데, 음식물 기도 폐쇄 사망자의 30퍼센트가 떡을 많이 먹는 명절에 발생한다고 한다. 시간을 지체하다가는 생명을 잃을 수도 있는 기도 폐쇄 질식사! 상상만 해도 아찔하지 않은가?

기도 폐쇄를 막아주는 든든한 지킴이, 후두덮개

기도 폐쇄는 왜 일어날까? 어떻게 하면 기도 폐쇄를 해결할 수 있을까? 이를 알기 위해 우리 몸의 기도 구조를 살펴보자.

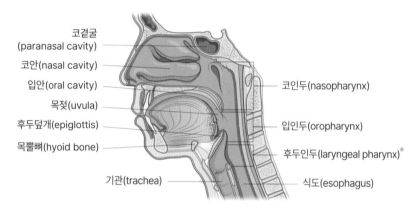

인두와 기도의 구조

코 또는 입으로 흡입한 공기는 인두(pharynx)를 따라 아래로 이동하여 후두(larynx)*를 거쳐 기관으로 이동하고 최종적으로는 폐로 이동하게 된다. 우리가 음식물을 소화하는 과정도 이와 놀라울 만큼 비슷하다. 입으로 들어온 음식물이 이의 저작운동에 의해 충분히 씹히고 다져진 후 인두를 거쳐 식도로 내려오는 것이다. 문제는 그림에서 보는 것처럼 공기가 들어가는 길과 음식이 들어가는 길이 분리가 되어있지 않다는 점

---

* 후두인두를 간단히 '후두'라고 한다.

이다. 공기와 음식은 인두까지 같은 길을 타고 내려가다가 갈림길을 만나게 되는데 이때 공기는 후두로, 음식물은 식도로 각각 내려간다. 만약 이들이 길을 잘못 타게 된다면 어떨까? 공기가 식도로 들어가는 것은 큰 문제가 없겠지만, 음식물이 기도로 들어가게 된다면 산소 공급이 막히는 큰 문제가 생긴다. 이 문제를 해결하는 것이 후두덮개(epiglottis)이다. 평상시에 후두덮개와 후두는 분리되어 있으나 우리가 음식물을 삼키면 후두덮개가 후두를 덮는다. 후두덮개는 탄력연골(elastic cartilage)로 이루어져 있어서 음식물이 지나가면 다시 탄력적으로 움직여서 후두가 열리게 된다. 그래서 이름 또한 후두덮개이다. 이러한 후두덮개는 음식을 삼킬 때 선택적으로 두 길을 분리하여 음식물로 인한 기도 폐쇄를 막아준다. 침을 삼키면서 숨을 쉬려고 해 보자. 후두덮개의 작용으로 아무리 노력해도 침을 삼키면서 동시에 숨을 쉴 수 없다는 것을 금방 알 수 있을 것이다.

기도 폐쇄 환자를 살리는 하임리히법

후두덮개의 작용이 완전히 이루어지지 않은 상태에서 후두덮개와 후두 사이로 이물질이 들어가게 되면 기도 폐쇄가 일어난다. 일상생활에서는 음식물이 입 안에 있는 상태로 기침을 하거나, 누워있는 자세로 음식을 먹다 보면 숨을 들이마시는 과정에서 순간적으로 음식물이 기도로 들어가 발생하는데 이가 없는 노인층이나 성인에 비해 후두덮개가 덜 발달 된 어린이, 반사작용이 미숙한 5세 미만의 영유아에게서 90퍼센트 이상 발생한다.

기도 폐쇄는 폐쇄 정도에 따라 부분 폐쇄와 완전 폐쇄 두 가지 종류로 나뉜다. 부분 기도 폐쇄는 기침할 때 소리가 나고 호흡이 가능한 경우로 자발적인 기침과 호흡을 계속하게 하면 이물질이 나오는 경우가 대부분이다. 기도로 들어온 음식물을 배출하기 위한 기침을 흔히 '사레 걸렸다'고 표현하기도 한다. 이는 이물질이 기도로 넘어왔을 때, 폐로 넘어가는 것을 방지하는 몸의 자발적인 방어 작용이다.

하지만 부분 기도 폐쇄가 아닌 완전 기도 폐쇄의 경우는 숨을 쉬지 못하여 기침도 할 수 없고 심지어 소리도 낼 수 없게 된다. 반사적으로 손으로 목을 감싸 쥐면서 괴로워한다. 또한, 산소가 공급되지 않아 청색증이 나타날 수도 있으며 호흡하려고 애쓰는 듯한 과장된 몸짓이 나타난다. 이런 기도 폐쇄 환자를 발견한다면 어떻게 해야 할까? 기도 폐쇄 후 3분만 지나도 위험해지고 심하면 5분 안에 뇌사 가능성도 있기에 빠른 응급조치가 필요하다. 가장 먼저 환자의 상태를 확인하고 119에 신고 전화를 해야 한다. 환자가 소리를 낼 수 있는 상황이라면 복부에서부터 힘 있게 기침을 여러 번 하게 하며 강한 기침에도 해결되지 않는다면 등 두드리기를 5회 정도 실시한다.

이러한 과정을 거쳤는데도 이물질이 나오지 않는다면 바로 시행해야 할 처치가 '하임리히법'이다. 하임리히법의 구체적인 시행 과정은 다음과 같다.

1 환자의 등 뒤에서 서서 환자의 다리 사이에 구조자의 다리를 가운데로 넣어 환자를 지지한다.
2 등 뒤에서 복부를 감싸 안아 배꼽과 명치 끝부분을 찾는다.
3 한쪽 손은 배꼽과 명치 사이에 주먹을 쥐어 위치하게 하고 다른 한쪽 손으로 주먹 쥔 손을 감싼다.
4 감싼 안은 팔을 위로(후상방향) 여러 차례 세게 밀쳐 올린다.
5 이물질이 나오거나 119 구급대가 도착할 때까지 반복한다.

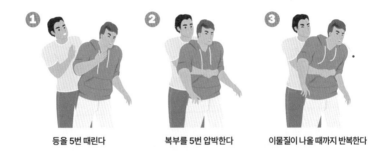

등을 5번 때린다   복부를 5번 압박한다   이물질이 나올 때까지 반복한다

하임리히법(Heimlich maneuver)

이러한 하임리히법은 배를 압박하여 복압을 높임으로써 몸 안의 공기가 밖으로 빠져나오게 유도하는 방법으로 시행 과정에서 음식물이 공기의 압력에 밀려 밖으로 빠져나오는 것이다.

하임리히법은 임산부나 비만 환자의 경우에는 배가 아닌 가슴을 압박해야 하며 영아의 경우에도 영아의 머리를 아래로 향하게 한 후, 등을 5회 두드린 뒤 가슴을 5번 압박하는 방법이 더 좋다. 이때 의식이 없는 완전 기도 폐쇄 환자인 경우는 심폐소생술이 먼저 실시되어야 한다.

지금까지 기도 폐쇄의 원인과 그에 따른 응급처치 방법에 대해 살펴보았다. 언제 어떻게 일어날지 모르는 기도 폐쇄로부터 가족과 주변 사람들을 지키기 위해 하임리히 법을 반드시 익혀 두길 권하고 싶다.

지금까지 우리는 기도 폐쇄가 일어나는 이유와 기도 폐쇄가 일어났을 때 우리가 취해야 할 행동들에 대해서 알아보았다. 하지만 여기서 한 가지 의문이 생긴다. 만약 처음부터 숨을 쉬는 호흡계의 통로와 음식물을 섭취하는 소화계의 통로가 겹치지 않고 분리되어 있었다면 이런 문제는 없지 않았을까?

기도 폐쇄는 진화 과정의 산물이다

기도 폐쇄 문제를 진화론적으로 살펴보면 이에 대한 해답은 의외로 바다의 물고기에서 찾을 수 있다. 먼 옛날 인류의 조상은 육지가 아닌 바다에서 사는 어류였다. 물고기는 입으로 물을 마시고, 마신 물이 아가미를 통과하면서 물속에 녹아있는 산소

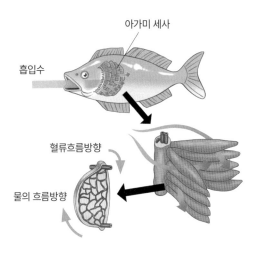

아가미 세사

흡입수

혈류흐름방향

물의 흐름방향

물고기가 호흡하는 원리

를 걸러 마시는 방식으로 호흡했다. 즉, 호흡계가 소화계 안에 속해 있었다. 그러다 물고기 중 일부가 뭍으로 올라가기 위해 콧구멍을 통한 공기 길을 만들게 되었고 드디어 호흡계의 허파라는 기관도 생겨나며 호흡계통과 소화계통이 차츰 분리되기 시작했다. 이후 진화 과정을 거치며 길게 이어져 있던 겹친 부위는 짧아져 하나의 교차점으로 남게 되었다. 입으로부터 시작된 호흡 기능이 콧구멍과 기도라는 새로운 길을 추가하는 과정에서 우리 몸은 기도 폐쇄라는 부작용을 갖게 된 것이다.

인간의 신체는 새로운 환경에 적응하기 위해 여러 문제를 해결할 수 있는 최선의 구조를 선택하며 진화해 왔다. 아마 오랜 시간이 흐르고 계속하여 진화되는 과정에서 기도 폐쇄라는 인간의 신체적 구조 문제가 해결될 수도 있지 않을까? 그런 인간의 모습은 과연 어떨까? 교환원이 서로의 전화를 연결해 주던 최초 전화기의 모습이 유선전화를 거쳐 무선전화의 시대로 발전하였으며 이젠 전화기라고 부르기에는 너무나 광범위한 기능을 갖춘 스마트폰이 등장한 것처럼 아마 우리 인간의 미래 모습도 지금과는 큰 차이가 있을 수도 있지 않을까? 흥미진진한 상상은 여러분께 맡겨본다!

의대생들의 요약

누워서 떡먹기

- 음식을 먹을 때 음식이 들어가는 길과 숨을 쉴 때 공기가 들어가는 길인 인두(pharynx)는 분리가 되어있지 않지만 공기는 기도(trachea)로, 음식물은 식도(esophagus)로 각각 내려간다. 이때 후두덮개(epiglottis)가 후두를 덮고 여는 방식으로 음식과 공기가 각각 제대로 지나가도록 도와준다.

- 음식물 등에 의해 완전 기도폐쇄가 일어나면 하임리히 법을 시행해야 한다. 환자의 등 뒤에서 복부를 감싸 안고 팔을 위로 밀쳐 올려 배를 압박하면 이물이 공기의 압력에 의해 밖으로 빠져나오게 된다.

- 진화적 관점에서 우리 인류는 물고기의 특성을 가지고 있다. 호흡계가 소화계 안에 속해있는 물고기가 뭍으로 올라오는 과정에서 콧구멍을 통한 공기길을 만들게 되었고, 호흡계통과 소화계통이 차츰 분리되는 과정에서 겹친 부위가 짧아져 하나의 교차점으로 남게 되고 기도폐쇄라는 부작용을 갖게 된 것이다.

우리 몸속에 풍선이 있다고?

몸 안에 있는 풍선, 허파(폐)

동심에 가득 찬 표정으로 풍선을 들고 뛰어다니는 아이들을 보면 웃음이 절로 난다. 어린 시절 친구들과 놀이공원, 동물원에서 풍선을 들고 아무 걱정 없이 뛰어다니던 행복한 추억이 떠오른다. 동시에 시간이 지나 성인이 된 후 풍선을 보지 못했다는 아쉬움도 느낀다. 그러나 바깥에 있는 풍선만 풍선이 아니다. 우리 몸속에도 풍선이 있기 때문이다. 몸속에 풍선이 있다니 무슨 뚱딴지같은 소리냐고 하겠지만 우리 몸속에는 진짜로 풍선이 있다! 끊임없이 바람이 들어가고 나오기를 반복하며 우리가 숨을 쉴 수 있도록 하는 곳. 기도에서 공기가 넘어가는 곳, 바로 '허파(폐)'이다.

헬륨 가스로 가득 찬 풍선은 가볍게 떠다닌다. 허파도 풍선과 같이 인체 내에서 매우 가벼운 장기이다. 허파는 순우리말이고 한자어로는 폐(肺)라고 한다. 영어로 lung이라고 불리며, 독일어로는 lunge, 네덜란드어로는 long이라고 불린다. 이것의 어원은 원시 게르만조어 lunganjo에서 시작되는데, '매우 가벼운'이라는 뜻이다. 허파가 이러한 어원을 가진 이유는 과거 인류가 도살한 동물을 조리용 솥에 넣고 끓였을 때, 심장과 간 등 다른 장기들은 물 아래로 가라앉았지만, 허파는 수면 위로 떠올랐기 때문이라고 추측된다.

허파는 호흡에 있어 가장 중요하다고 손꼽히는 장기에 속한다. 허파를 자세하게 알아보기 전, 흡입하는 공기가 어떤 과정으로 우리 몸에 들어가는지 살펴보자. 처음에는 코와 입이 공기를 흡입한다. 이때, 사람들이 잘못 알고 있는 사실이 숨어 있다. 우리가 들이쉬는 공기가 산소로만 이루어져 있다고 생각하지만, 이것은 사실이 아니다. 들숨의 비율은 질소 78퍼센트, 산소 21퍼센트, 이산화탄소 0.03퍼센트 그리고 나머지 기타 성분이 약 1퍼센트를 차지한다. 반대로 날숨의 비율은 질소 75퍼센트, 산소 15퍼센트, 이산화탄소 4퍼센트, 그리고 기타 성분 5퍼센트로 구성된다. 들숨에 산소만 존재하는 것이 아니라 대기 중에 여러 공기 성분이 존재하는 것이다. 들숨에 비해서 날숨에서의 산소 비율이 줄어들고 이산화탄소의 비율이 증가하는 이유는 인체 내에서 세포호흡을 통해 산소를 소모하고 이산화탄소를 배출하는 가스 교환이 발생하기 때문이다. 코와 입을 거친 공기는 기도를 타고 내려가 분지로 갈라지는 기관지를 만난다. 더 깊숙이 내려가면, 기관지에서 세기관지를 거쳐 마침내 허파에 도달한다.

놀랍게도 기관으로부터 허파까지의 분지는 무려 23번이나 이루어진다! 의학적으로 실질적으로 기체교환(산소와 이산화탄소의 가스 교환)이 일어나는 곳과 일어나지 않는 곳을 구분한다. 1~16번의 분지는 기체교환이 일어나지 않는 전도 영역, 17~23번의 분지는 기체교환이 일어나는 호흡 영역이다. 그런데 호흡 영역이 기체교환을 하는 장소라면, 전도 영역은 단순히 전달만 할 뿐, 아무 역할이 없는 것일까?

전도 영역은 공기의 흐름을 원활하게 만들고 성대의 발성 작용을 도우며, 미생물이나 독성 물질에 대한 방어 작용을 수행한다. 인체에 아무 의미가 없는 것은 없는 것이다.

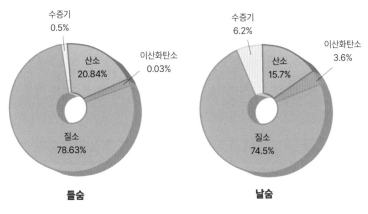

들숨과 날숨의 성분비

내 몸 안에 농구 코트 크기의 절반이 숨 쉬고 있다

허파의 전체적인 구조는 왼쪽에는 2개의 엽(위엽과 아래엽), 오른쪽에는 3개의 폐엽(위엽과 중간엽, 아래엽)이 존재한다. 허파는 호흡이라는 자신의 역할을 충실하게 수행하기 위해 매우 신기한 미세 구조를 가지고 있다. 바로 허파꽈리(폐포, alveolus)이다. 허파꽈리는 모세혈관과 가스 교환(산소와 이산화탄소의 교환)을 하는데, 이때 모세혈관과 조금이라도 더 접촉면을 늘려주는 형태를 가진다. 표면적이 넓을수록 산소와 이산화탄소의 가스 교환이 쉽기 때문이다. 허파꽈리 하나는 직경 0.2~0.25밀리미터로 매우 작은 크기이다. 하지만, 허파에 존재하는 약 3~5억 개의 허파꽈리의 표면적은 약 70~100제곱미터나 된다. 단순 숫자로 보면 선뜻 와닿지 않을 것이다. 이것은 무려 농구 코트의 절반 또는 테니스 코트의 절반과 비슷한 영역의 크기이다! 놀랍지 않은가? 지금도 우리 인체 내에서 농구 코트의 절반이 살아 숨 쉬고 있다니 말이다.

허파꽈리와 같이 표면적을 넓혀주는 구조물이 인체 내에 하나 더 있다. 소화계통에서 소장의 돌림주름, 융모 그리고 미세융모이다. 이 세 가지 구조물은 허파꽈리가 호흡 표면적을 넓혀주는 것과 비슷하게, 소장의 흡수 표면적을 늘려서 소화되는 음식물의 흡수 작용을 도와주는 역할을 한다. 세 가지 구조물이 매우 작지만, 이들의 역할을 수치로 살펴보면 깜짝 놀라게 된다. 돌림주름은 표면적의 2~3배, 융모는 10배, 미세융모는

20배를 증가시키는데, 무려 소장 면적의 총 400~600배를 증가시키는 셈이다.

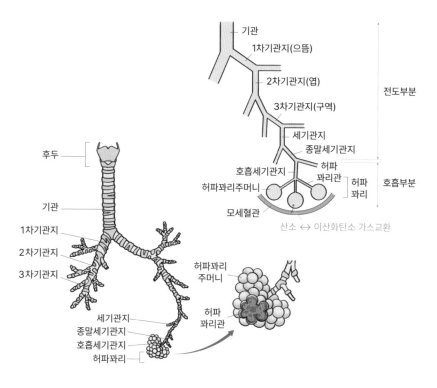

폐와 기관지의 해부학적 구조

허파에서 호흡이 일어나는 원리

허파의 여러 세포도 각각 자신이 맡은 역할이 있다. 제1형 폐포세포(type I alveolar cell)는 폐포의 벽을 구성하여 가스 교환이 원활하게 일어나도록 돕는다. 제2형 폐포세포(Type II alveolar

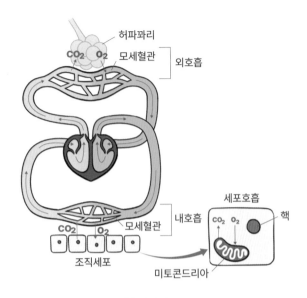

세포호흡의 과정

cell, granular pneumocyte)는 표면활성물질(surfactant)을 분비
한다. 폐포세포의 표면활성물질은 허파가 잘 움직이도록 일종
의 기름칠을 해주는 역할이다. 자전거 체인이 뻣뻣해서 잘 움
직이지 않을 때 기름칠을 해주어 잘 움직이도록 만드는 것과
비슷하다. 신생아 때 표면활성물질이 정상적으로 분비되지 않
으면 신생아 호흡부전증(respiratory distress syndrome, RDS)이
발생한다. 허파가 뻣뻣하여 움직이지 않아 호흡 곤란이 생기는
질병이다. 미숙아에게 발생 빈도가 높고 청색증 증상을 보
인다. 마지막으로 폐포대식세포(alveolar macrophage)가 있다.
폐포대식세포는 외부 이물질로부터 허파를 보호하는 면역 기능에 관여한다.

허파에서 발생하는 세포호흡 과정을 자세하게 살펴보면, 우선 폐포에서 모세혈관의 적혈구와 산소와 이산화탄소의 교환이 발생한다(외호흡). 산소는 폐포에서 모세혈관(적혈구) 방향으로, 이산화탄소는 모세혈관(적혈구)에서 폐포 방향으로 이동하는 것이다. 이때 기체교환이 발생하는 얇은 막을 '호흡막'이라고 부른다. 모세혈관에서 이산화탄소를 배출하고 산소를 받은 적혈구는 혈관을 타고 온몸의 세포로 산소를 전달한다. 온몸의 세포에서 세포호흡이 일어나고 그 생성물인 이산화탄소를 적혈구가 폐의 모세혈관으로 다시 들고 와서 기체교환을한다(내호흡). 이러한 과정이 반복되면서 우리 몸의 세포호흡이 지속되는 것이다.

허파를 망치는 빌런들

허파는 생명 유지에 필수적인 역할을 하지만 안타깝게도 우리의 소중한 허파를 망치는 위험 인자는 생활 곳곳에 퍼져 있다. 기도에서의 주된 문제가 기도 폐쇄라면, 허파와 관련한 최고의 빌런은 미세먼지와 흡연이다. 최근 서울에 사는 사람들의 허파가 제주에 사는 사람들보다 기능이 낮다는 연구 결과가 나왔다. 서울의 15년(1995~2009년) 평균 미세먼지 농도는 64.87

$\mu g/m^3$(마이크로미터 퍼 세제곱미터)이고, 제주는 $40.80\mu g/m^3$로 두 지역의 미세먼지 농도 차이는 명확하다. 이러한 현상이 발생한 이유는 서울에 사는 사람들이 높은 미세먼지 농도에 오랜 노출되면서 허파 손상 및 염증이 악화되었기 때문이다.

흡연도 미세먼지 못지않은 빌런이다. 담배가 건강에 안 좋다는 사실은 이미 널리 알려진 사실이다. 흡연으로 발생하는 대표적인 호흡기 질환은 만성폐쇄성폐질환(Chronic Obstructive Pulmonary Disease, COPD)이다. 무려 70~80퍼센트의 발병이 흡연과 관련 있다. 이 질병은 당뇨병과 같은 다른 만성 질환에 비해 인지도가 떨어지는 편이지만, 반드시 알아야만 하는 질병이다. 2020년 세계보건기구(WHO)가 세계 10대 사망 원인 질

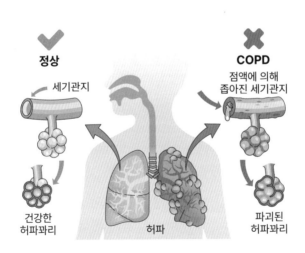

COPD의 특성

병을 발표했는데, COPD가 무려 3위를 차지했고 2050년이 되면 COPD가 1위를 차지할 것이라는 전망이 있다. 국내에서도 45세 이상 성인 5명 중 1명, 65세 이상 노인 3명 중 1명이 이 질병으로 힘들어한다. 예방이나 초기 치료가 가능하지만, 이 병을 인지하고 있는 사람이 적어 증상이 악화된 후에야 병원을 찾는 환자가 많아 치료가 더 힘들다고 한다.

COPD는 허파의 실질 부분이 파괴되고(폐기종), 소기도가 좁아져서 비가역적인 기류 제한이 발생하는 질병이다. 이 질병이 흡연과 관련성이 매우 높지만, 반드시 흡연에 의해서만 나타나는 것은 아니다. 집안 연기, 대기 오염, 미세먼지, 호흡기 감염성 질환(결핵 및 폐렴) 그리고 유전적 요인도 이 질병의 원인으로 작용한다. 특징적인 증상은 평상시에는 아무런 호흡기 증상이 없지만, 평지를 몇 분 동안 걷거나 오르막길을 걸을 때 숨이 차는 증상이 심해진다는 것이다. 예방은 당연하게도 위험 인자에서 벗어나는 것이다. 금연을 하는 것, 마스크를 써서 미세먼지로부터 피하는 것, 감기를 조심하는 것 등 우리 손으로 평소 할 수 있는 일들이 많다. 매년 11월 16일은 세계 COPD의 날이다. 잊지 말고 기억해서 소중한 허파를 안전하게 지키자!

허파에 구멍이 생긴다면?

아이들은 뾰족한 물건으로 풍선을 터뜨리는 장난을 좋아한다. 만약 우리의 소중한 허파에 구멍이 생긴다면 어떻게 될까? 잠깐 상상하는 것만으로도 식은땀이 날 정도로 아찔하지만, 실제 생기는 질병이다. 허파에 구멍이 생기는 질병을 '기흉(pneumothorax)'이라고 한다. 폐를 둘러싸고 있는 가슴막 안에 공기가 찬 것으로 저절로 발생하기도 하고, 둔상이나 관통상 등에 의한 외상에 의해 생기기도 한다. 자연 기흉은 주로 키가 큰 20대 남성에게 자주 생기는데, 키가 빨리 자라면서 폐가 그 성장 속도를 따라가지 못해서 압력 차이, 혈액이나 영양분의 부족 등의 문제로 생기는 것으

로 추정된다. 우리 속담에 '허파에 바람이 들어간다'라는 말이 있다. 실제로 '기흉에 걸렸다'라는 의미는 아니고, 실없이 웃는 사람에게 사용하는 말이다. 키가 큰 사람은 실제로 기흉의 발병위험도가 높으니, 장난으로라도 이 말은 삼가는 게 좋을 듯하다.

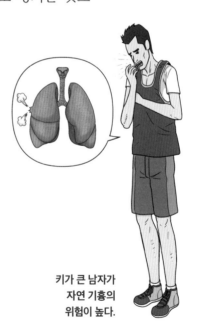

**키가 큰 남자가
자연 기흉의
위험이 높다.**

웃을 일 없는 세상이라고 한다. 눈코 뜰 새 없는 바쁜 현대 사회에서 웃음기를 잃어가면서 하루하루 버틴다고도 한다. 힘들고 고된 하루라도 가끔 허파에 신선한 바람을 넣고서 웃어보면 어떨까? 웃을 일이 없어도 이유 없이, 아낌없이 크게 웃어보는 것도 나쁘지 않을 것이다!

의대생들의 요약

우리 몸속에 풍선이 있다고?

- 우리 몸속에 허파(lung)는 호흡에서 가장 중요한 풍선이다. 허파는 왼쪽에 2개의 엽과 오른쪽에 3개의 엽으로 구성되며, 농구 코트의 절반 면적의 허파꽈리(폐포)를 통해 세포호흡이 이루어진다.
- 허파에는 다양한 세포들이 각자의 기능을 담당한다. 제1형 폐포세포는 가스 교환을 돕고, 제2형 폐포세포는 표면이 잘 움직이도록 기름칠 해주며, 폐포대식세포는 허파를 보호하는 면역 기능을 수행한다.
- 하지만, 이렇게 중요한 허파도 다칠 수 있다. 미세먼지와 흡연은 만성 폐쇄성 폐질환 (Chronic obstructive pulmonary disease, COPD)을 유발하고, 기흉은 허파에 구멍이 나는 질병이다.

우리 몸속의 세계는
좌우가 다른 모습을 하고 있다

심장의 좌우가 다른 이유

앞에서 살펴본 허파는 가슴부위에서 심장의 양쪽을 감싸고 있다. 허파와 심장은 친한 친구처럼 붙어있으며 서로 영향을 주고받는다. 중간에 있는 심장의 심장 주머니를 가르고 심장막 안으로 들어가 그 안에 있는 심장을 들여다보면, 표면은 매끈한 벽쪽장막심장막(=심장바깥막)으로 덮여 있다. 심장바깥막 바로 밑으로는 심장벽에 혈액을 공급하는 심장동맥과 정맥들이 있다. 심장의 아래 왼쪽은 뾰족한 모양을 하고 있는데 심장꼭대기(심첨, apex)라고 하며, 반대쪽인 위 오른쪽 모서리는 심장바닥(심저, base)이라고 한다. 몸 밖에서 보았을 때 심장바닥은 양쪽 셋째갈비연골을 잇는 선상에 위치한다. 가로막(횡격막, diaphragm)에 맞닿아 있는 심장면을 가로막면(횡격면, diaphragmatic surface)이라고 하는데, 이 면의 오른쪽 끝은 오른쪽 여섯째 또는 일곱째 복장갈비관절(흉늑골관절, sternocostal join) 정도에 위치한다.

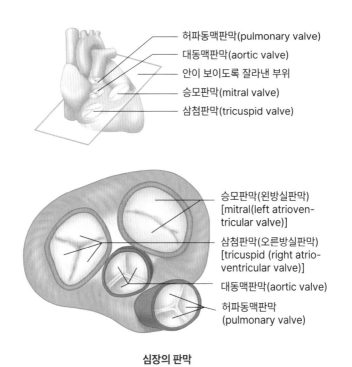

심장의 판막

심장의 4개 방 중 오른심실이 가장 앞쪽에 위치하고, 왼심실은 전체 심장의 왼쪽 앞뒤 부분을 차지하며, 오른심방과 왼심방은 전체 심장의 오른쪽 뒤쪽 편을 차지하고 있다. 심장바닥에는 심장에서 나가는 큰 혈관인 허파동맥과 대동맥이 위로 뻗어 있다. 심방(atrium)과 심실(ventricle) 사이에는 혈류의 역류를 방지하는 판막(valve)이 있다. 심장의 오른심방과 오른심실 사이에 있는 판막은 삼첨판(tricuspid valve)이고 왼심방과 왼심실 사이에 있는 판막은 이첨판(mitral valve)이다. 이름 그대로 역류를 막는 판이 3개 혹은 2개이기 때문에 붙여진 이름이다. 반원의 지름에 해당하는 부분은 방실구멍 벽에 부착하고, 반원의 호에 해당하는 부분들은 힘줄끈(건삭, chordae tendineae)에 의해 꼭지근육(유두근, papillary muscle)에 연결되어 있다. 이 첨판들이 서로 만나면 방실구멍이 닫히게 된다.

한편 허파의 오른쪽은 3개의 엽으로 이뤄져 있고 왼쪽은 2개의 엽으로 이뤄져 있다. 해부학 시험을 준비하면서 오른쪽은 세글자고 왼쪽은 두 글자이기 때문에, 오른쪽은 숫자 3과 연관이 있고 왼쪽은 숫자 2와 연관이 있다고 우스갯소리로 이야기했던 것이 기억난다. 오른쪽에는 삼첨판과 세 엽이, 왼쪽에는 이첨판과 두 엽이 있다고 말이다. 물론 그 뒤에는 한국어에는 해부학적 과학성(?)이 숨겨져 있으니 해부학 지식을 암기하는 학생들은 늘 선조들에게 감사해야 한다는 이야기 또한 늘 덧붙여졌다.

겉으로 보면 우리 몸은 좌우 대칭으로 보인다. 하지만 몸속으로 들어가면 우리 몸의 좌우는 다소 다른 모습을 하고 있다. 심장은 몸의 중심에 위치하지만, 정확히는 중심에서도 조금은 왼쪽으로 치우쳐 있다. 이 때문에 왼쪽의 허파는 오른쪽과 달리

의대생들의 수다

조금 작은 두 개의 엽으로 이루어져 있으며, 남는 자리는 심장을 위해 양보한다. 한편 심장의 왼심실은 혈액을 온몸으로 보내고, 오른심실은 혈액을 허파로 보낸다. 피를 더 먼 곳으로 보내야 하는 왼심실에는 상대적으로 강한 압력이 가해지는데, 압력을 견디기 위해 좀 더 두꺼운 두 엽으로 된 판막이 있다. 반면에 혈액을 심장에서 가까운 허파로 보내는 오른심실에 가해지는 압력은 상대적으로 약하고, 오른심실에는 조금 더 얇은 세 개의 엽으로 이루어진 판막이 있다. 좌우의 기능과 구조가 조금씩 다른 것이다.

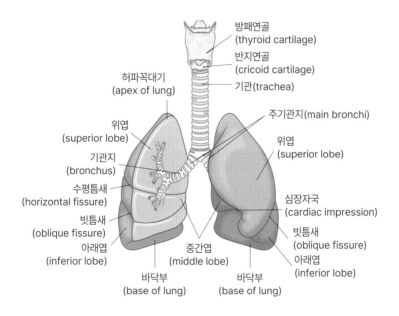

좌우 폐의 모습

콩팥(신장)이 비대칭이 된 사정

이번에는 콩팥으로 가보자. 콩팥(신장, kidney)은 우리 몸 오른쪽에 하나, 왼쪽에 하나, 총 두 개가 있다. 콩팥은 좌우가 대칭일까? 얼핏 보면 좌우가 비슷한 위치에 있는 것처럼 보이지만 자세히 보면 오른쪽 콩팥이 왼쪽 콩팥보다 조금 아래에 있다. 이유는 간 때문이다. 오른쪽 콩팥 위에 간이 있어서 조금 내려간 곳에 자리를 잡은 것이다. 콩팥은 길이 11센티미터, 폭 5~7센티미터, 두께 2.5센티미터 정도의 강낭콩 모양을 한 기관으로 콩팥근막(신장 근막 renal fascia)에 의해 복막 뒤에 느슨하게 고정되어 있다.

콩팥 위에는 부신(aderenal gland, suprarenal gland)이라는 기관이 얹혀 있다. 부신은 콩팥 양쪽 모두 존재하며 지방조직에 둘러싸여 있다. 부신 한 개의 무게는 2~3그램이고 길이는 약 3센티미터 정도이다. 부신은 치밀결합조직으로 구성된 피막에 의해 싸여 있으며 노란색의 겉질(피질, cortex)과 안쪽의 속질(수질, medulla)로 구성되어 있는데, 혈관을 수축시키고 혈압을 상승시키는 아드레날린과 같은 다양한 호르몬을 분비한다. 이곳에 종양이 생겨 카테콜라민(catecholamine)이라는 호르몬이 과다하게 분비되면 갈색세포종(pheochromocytoma)이 발생한다. 두통과 두근거림, 고혈압 등의 증상이 나타날 수 있으며 심한 경우 부신절제술을 시행할 수 있다.

한편, 우리 몸에서 가장 큰 정맥인 복부의 아래대정맥(inferior

vena cava) 또한 몸의 중심에서 오른쪽으로 조금 치우쳐져 있다. 왼쪽 부신은 아래대정맥에서 멀기 때문에 신장정맥(renal vein)을 거쳐서 아래대정맥과 연결되고, 오른쪽 부신은 가깝기에 바로 아래대정맥과 연결된다. 만약 부신에 문제가 있어 부신을 떼어내야 하면 오른쪽에서는 아래대정맥을 기준으로 삼아 수술을 진행하게 된다. 거꾸로 왼쪽에서는 신장정맥이 기준이 된다.

겉으로 볼 때는 좌우가 같아 보여도 우리 몸 안을 들여다보면 다른 면모를 발견하게 된다. 대칭을 이루지 않는다고 몸에 문제가 생기진 않는다. 오히려 비대칭을 이루었기에 균형을 유지하게 되었는지도 모른다. 성경에 '오른손이 한 일을 왼손이 모르게 하라'는 구절이 있다. 좋은 일은 굳이 크게 밝히지 말고 몰래 하라는 의미이다. 우리 몸도 좌우는 달라도 우리가 알지

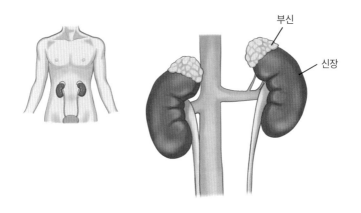

콩팥과 부신의 위치

못하는 사이에 적절하게 균형을 맞추며 건강하게 잘 유지되고 있는 게 아닐까.

큰창자에 생기는 염증, 좌우가 다르다

이번엔 배 안 아래쪽, 큰창자(대장, large intestine, colon)로 가 보자. 큰창자는 배 안의 오른쪽 아랫부분에서 시작하여 위쪽으로 올라간 뒤 다시 왼쪽으로 이동하고 골반 안으로 내려가서 곧창자(직장, rectum)와 항문이 되는 창자이다. 큰창자는 작은창자에 비해 벽이 두껍고 굵으며, 길이는 약 1.5미터 정도이다. 큰창자는 소화된 음식물에서 수분과 전해질을 흡수하고 대변을 만들어 저장한다.

큰창자는 막창자, 잘록창자, 곧창자, 항문으로 구분되는데, 먼저 막창자(맹장, cecum)는 큰창자의 시작 부위로 작은창자의 마지막 부위인 돌창자와 연결되며 지름은 약 7.25센티미터 정도로 돌창자보다 훨씬 굵으나 길이는 5~6센티미터 정도로 짧다. 다음으로 잘록창자(결장, colon)는 길이 1.4미터 정도로, 막창자에서 시작하여 곧창자에 연결된다. 잘록창자는 배 안의 오른쪽 아래에서 시작하여 왼쪽 아래로 주행하는데, 주행 방향에 따라 오름잘록창자, 가로잘록창자, 내림잘록창자, 구불잘록창자 등 네 부분으로 나눌 수 있다. 곧창자(직장, rectum)는 셋째엉치뼈 높이에서 골반 안으로 곧게 내려가 항문관(항문관, anal canal)으로 이행되는 길이 약 12~15센티미터의 창자이다. 곧창자는 복막에 앞면만 덮여서 뒤 배벽에 고정해 있는 복막뒤 기관으로 운동성이 거의 없고 큰창자의 특징도 관찰되지 않는다. 흔히 우리가 아는 맹장은 정확히 막창자(cecum)이고, 큰창자가 시작되는 부위이다. 맹장염은 막창자 아래에 있는 충수돌기에 염증이 생긴 것으로, 충수돌기염이 정확한 표현이다. 막창자와 충수돌기는 배의 오른쪽 아래에 위치하므로, 충수돌기염이 있으면 통증은 배꼽과 배의 오른쪽 아랫부분에 생긴다.

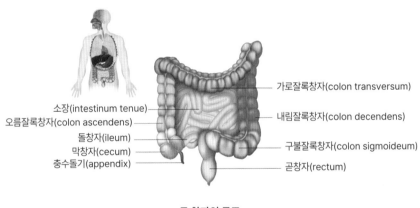

소장(intestinum tenue)
오름잘록창자(colon ascendens)
돌창자(ileum)
막창자(cecum)
충수돌기(appendix)

가로잘록창자(colon transversum)
내림잘록창자(colon decendens)
구불잘록창자(colon sigmoideum)
곧창자(rectum)

큰 창자의 구조

막창자, 잘록창자, 곧창자, 항문은 모두 큰창자의 일부이지만 위치에 따라서 질환의 병리학적 원인과 치료 경과는 다르다. 특히 궤양성 대장염의 경우, 염증이 큰창자의 왼쪽을 침범한 것과 오른쪽을 침범한 것은 병의 진행 정도에서 차이가 있다. 일반적으로 궤양성 대장염에서는 염증이 큰창자의 끝부분인 곧창자에서부터 시작해서 위로 올라가기 때문에, 왼쪽을 침범한 것은 큰창자 일부만 침범한 것이지만 오른쪽을 침범하면 대부분을 침범한 것이다.

완벽한 대칭이 아니라서 다행이야!

몸속의 장기들이 대칭이 아닌 데에는 이유가 있다. 그렇다면 속만 다를까? 우리 몸의 몸은 겉보기에도 좌우가 완벽한 대칭을 이루고 있지는 않다. 인바디라고 부르는 체성분 분석을 해봤다면 결과지에 팔다리의 근육량이 좌우가 다르게 나온다는 것을 알 것이다. 주로 쓰는 팔과 다리의 근육량이 더 높게 나

펜싱 선수의 양쪽 다리와 양쪽 팔의 두께 차이

온다. 좌우 근육량의 차이는 운동선수에게 더 극적으로 나타난다. 특히, 펜싱은 비대칭적인 자세를 유지하는 운동이기 때문에 한쪽 근육이 상대적으로 비대해져 있는 경우가 많다. 오른손잡이의 경우 오른쪽 상하체는 앞으로 뻗어 있고 왼쪽 상하체는 뒤로 물러나 있다. 앞으로 뻗는 쪽의 허벅지는 뒤로 물러난 쪽의 허벅지보다 훨씬 더 굵고, 앞으로 뻗는 쪽의 팔은 뒤로 물러난 쪽의 팔보다 굵다.

우리는 막연하게 자기 몸은 대칭에 가까운 게 정상이라고 생각하며 살아간다. 그러나 완벽한 대칭을 이루진 않는다. 얼굴도 좌우가 조금씩 다르다. 거울이 아니라 사진으로 찍힌 내 모습을 보면 조금 어색하지 않은가? 비대면 수업에 많이 쓰는 프로그램 zoom은 자기 모습을 화면에 보여줄 때 좌우를 반전시켜서 거울처럼 보여주는 것이 기본 설정으로 되어있다. 거울처럼 좌우가 반전된 모습이 아니라, 카메라가 비추는 대로의 모습을 보는 사람들은 자신의 얼굴을 보며 어색해하거나, 심할 경우 정신적인 고통을 호소하기도 한다.

강동원의 얼굴. 강동원의 왼쪽 눈은 쌍꺼풀이 있고, 오른쪽 눈은 쌍꺼풀이 없다.

우리 몸이 완벽한 대칭이 아니라고 해서 문제가

될 일은 없다. 살짝 비대칭인 면이 매력 포인트가 되기도 한다. 대표 미남으로 손꼽히는 영화배우 강동원도 왼쪽 눈과 오른쪽 눈이 조금 다르다. 인터넷에 '짝눈 연예인'이라는 키워드를 넣고 검색하면 꽤 많은 연예인이 나온다. 그리고 그들은 굉장히 매력적이다. 짝눈을 가져서 고민을 토로하던 친구에게 강동원도 짝눈이라는 말을 해준 적이 있다. 친구의 짝눈은 내게는 매력적으로 보인다. 물론 그가 짝눈이라는 점과 영화배우처럼 잘 생겼느냐는 별개의 문제일 것이다. 우리 몸에는 수많은 비대칭이 존재한다. 살아가는 데 크게 문제가 된다면, 교정을 선택하는 방법도 있다. 그러나 큰 문제가 되지는 않는다면 너무 걱정하지 않아도 된다. 우리 각자의 매력은 단순히 인체 속 하나의 구조에서 나오는 것이 아니니까 말이다.

우리 몸속의 세계는 좌우가 다른 모습을 하고 있다

- 심장의 오른심방과 오른심실 사이에 있는 판막은 삼첨판(tricuspid valve)이며, 왼심방과 왼심실 사이에는 이첨판(mitral valve)이 있다. 각각 3개와 2개의 판이 역류를 막는 역할을 한다.
- 허파의 오른쪽은 3개의 엽으로 이뤄져 있고 왼쪽은 2개의 엽으로 이뤄져 있다.
- 오른쪽 콩팥은 위에 간이 있어 왼쪽 콩팥보다 조금 아래에 위치한다.
- 잘록창자는 배 안의 오른쪽 아래에서 시작하여 왼쪽 아래로 주행한다. 잘록창자를 주행 방향에 따라 오름잘록창자, 가로잘록창자, 내림잘록창자, 구불잘록창자 네 부분으로 나눌 수 있다.

3장

너의 얼굴을 보여 줘

마스크와 히잡

우리나라로 이민을 오는 사람들이 증가하면서 다문화에 대한 논쟁이 불거지고 있다. 그중 하나가 히잡일 것이다. 히잡을 문화 상대주의의 관점으로 봐야 할지, 종교의 이름으로 자행되는 폭력으로 봐야 할지 논란이 있다.

어떤 사람들은 히잡이 여성을 억압하는 문화라고 주장하고, 다른 이들은 히잡을 착용하는 것은 여성의 선택이자 권리라고 주장한다. 후자 중 일부는 히잡 착용에 비판적인 시선이 많은 환경에서도 히잡 착용을 고집하며, 히잡을 착용하는 것이 자신을 더 자유롭게 한다고 말한다. 이렇듯 히잡에 대한 찬반 논란이 계속되는 것은 이 문제가 단순하지 않음을 보여준다.

히잡을 쓴 여성의 모습

    코로나바이러스가 전 세계를 휩쓸면서, 모두가 마스크를 쓰고 다니던 시기가 있었다. 마스크 덕분에 면도나 화장에 덜 신경 써도 된다는 점은 몇 안 되는 좋은 점이었다. 이 시기에는 비대면 실시간 화상 수업이 많이 진행되었는데, 집에서 수업을 듣는 수강생들 중 많은 수가 마스크를 쓰곤 했다. 평소 학생들이 집에서까지 마스크를 쓰고 생활하지는 않았을텐데도, 화상 수업 카메라 앞에서는 다들 굳이 마스크를 썼던 이유는 무엇일까? 아마 마스크를 쓰면 화상 수업에서 타인의 시선을 조금이나마 가릴 수 있기에, 편안하고 자유로운 기분을 느꼈기 때문일 것이다. 그러나 한편으로는 타인의 시선을 신경쓰느라 자신을 가려야한다는 것이 항상 긍정적인 일은 아닐 것이다.

마스크를 쓰는 해부학적 이유

마스크를 쓰는 일에 여러 이유가 있겠지만, 해부학적인 이유 또한 찾을 수 있다. 구강(입안의 공간)과 비강(코안의 공간)을 외부 물질로부터 보호하기 위해서이다. 구강과 비강은 외부의 공간으로부터 점막을 노출시키는 공간인데, 점막은 세균이나 바이러스와 같은 외부 위험물질이 체내로 들어오기 쉬운 구역이다. 구강과 비강 모두 감염에 중요한 통로가 되는 것이다.

비강과 구강이 만나는 곳이 바로 인두(pharynx)이다. 이 부분은 코의 뒷부분(코인두)과 입안의 뒷부분(입인두)이 근육과 근막에 의해 연결된 원통형의 관이다. 이 공간 속에 림프조직

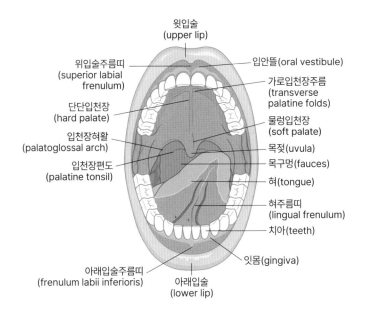

구강의 구조

인 편도(tonsil)들이 있는데 감염 시 팽대된다. 특히 코인두의 천장을 덮고 있는 점막에 있는 인두편도(pharyngeal tonsil)가 팽대되는 것을 아데노이드(adenoid)라고 한다. 이것이 팽대되면 코인두가 막혀서 입으로 호흡하게 된다. 실제로 편도 아데노이드가 가장 큰 시기는 취학 전 소아 때로, 감기에 걸린 아이들이 아데노이드로 인해 입으로 숨을 쉬게 되어 잘 때 입을 벌리고 코를 심하게 골기도 한다.

감기로 병원에 갔을 때, 의사 선생님이 설압자(혀누르개)를 입 안에 넣으면, 윽! 하고 구역질을 한 기억이 있을 것이다. 이때 환자의 입안에서 보는 것이 바로 입인두의 양쪽 가쪽에 있는 입천장편도(구개편도, palatine tonsil)이다. 급성 감염 시 이 편도가 커지는데, 침이나 음식물을 삼키면 목이 아팠던 경험이 한번씩 있었을 것이다. 세균이나 바이러스의 감염 없이도 잦은 음주나 흡연 등으로 인해 구강 점막이 건조해지면 이물감이나 통증이 있을 수 있다. 마스크를 쓰면 감염에 걸릴 일도, 음주나 흡연을 할 일도 줄어드니 확실히 편도가 커질 일은 없어지겠다.

히잡에 대한 여러 가지 논쟁

히잡을 쓰는 것에도 해부학적인 의미가 더 있을까? 히잡은 머리를 보호한다. 지나치게 뜨겁거나 차가운 공기로 가득 찬 공간에 있을 때는 외부와의 노출을 줄이는 게 중요하다. 특히 건조하고 뜨거운 사막과 같은 공간에서는 직사광선을 피해야 한다. 히잡은 상의와 하의, 신발만으로 보호되지 않아 노출된 목과 머리를 가린다. 그러나 히잡이 단지 물리적인 환경으로부터의 보호의 기능만을 가진 것은 아니다. 여성의 인권을 주장하는 페미니스트들에게 히잡은 복잡한 문제이다.

말랄라 유사프자이

이슬람 페미니스트 중에 적지 않은 수가 자발적으로 히잡을 쓰고 다닌다. 이들은 히잡을 쓰면 신체를 노출하지 않게 되어 더 자유로움과 해방감을 느낀다고 주장한다. 그런데 이들에게 종종 히잡이라는 폭력적 문화를 거부하지 않는 가짜 페미니스트라는 꼬리표가 붙기도 한다. 파키스탄에서 여성 교육 운동으로 최연소 노벨평화상을 수상한 말랄라 유사프자이는 그녀를 막으려는 무장 단체의 살해 위협에도 불구하고 계속해 아동과 여성의 교육을 위한 활동을 펼쳤다. 스스로 페미니스트가 되길 자처하며 여성과 아동 교육의 상징이 된 말랄라 유사프자이도 항상 히잡을 쓰고 있는 모습을 보면, 단순히 히잡 착용 여부만으로 한 사람이 페미니스트인지 아닌지를 판단하기는 어려울 것 같다.

각자 나름의 해부학적인 이유가 있음에도 불구하고, 무엇을 가려야 할지에 대한 문제는 단순한 해부학적인 영역을 넘어서 다분히 문화적인 문제이다. 그리고 어떤 경우에는, 불필요하게 신체를 가려야 하는 문화가 없어지는 편이 인간을 자유롭게 할지도 모르겠다. 그러나 중요한 것은 히잡을 쓰지 않는 이들 또한 각자의 문화권 안에서 제약을 겪고 있다는 것이다. 그들 또한 그러한 제약을 완전히 이겨내지 못했을지도 모른다.

물론 히잡과 마스크를 똑같은 선에 놓고 비교할 수는 없을 것이다. 히잡을 쓰지 않기 위해서 지금도 목숨을 걸어야 하는 이들이 있다. 한국에서 미용 목적으로 마스크를 쓰지 않는다고 해서 물리적인 위협을 당하는 일은 없다. 그러한 사회문화적 차이를 절대로 잊어서는 안 될 것이다. 그럼에도 히잡을 쓰지 않은 이들이 더 뛰어나고 훌륭한 사람이기 때문에 그런 차이가 생겼다고 논리를 이어가는 것에는 경계할 필요가 있지 않을까. 어떻게 하면 사람을 더 자유롭게 할 수 있을지를 고민

하는 게 우선이지, 어떤 사람이 더 우월한지 순위를 매기는 게 우선은 아닐 것이다.

의대생들의 요약

얼굴을 가린다는 것

- 비강과 구강이 만나는 인두(pharynx)는 코인두, 입인두와 후두로 구성되며, 이곳의 편도(tonsil)는 감염 시 팽대된다.
- 코인두의 천장을 덮고 있는 점막에 있는 인두편도(pharyngeal tonsil)가 팽대되는 것을 아데노이드(adenoid)라고 한다. 이것이 팽대되면 코인두가 막혀서 입으로 호흡하게 된다.
- 입인두 양쪽 가쪽에는 입천장편도(구개편도, palatine tonsil)가 있다. 감염 시 이 편도가 커지면서 침이나 음식물을 삼키면 목이 아프게 된다.

코로나! 넌 누구냐?

내 것인 듯 내 것 아닌 내 것 같은 코로나

코로나바이러스(COVID-19)로 수많은 사람이 고통받았다. 과거에도 코로나바이러스는 우리에게 심각한 고통을 남겼다. 2002년 SARS(중증급성호흡기증후군)와 2015년 MERS(중동호흡기증후군)도 COVID-19와 함께 코로나바이러스에 속한다. 다른 명칭으로는 SARS는 SARS-CoV-1, MERS는 MERS-CoV, COVID-19는 SARS-CoV-2라고 부른다. SARS와 COVID-19의 이름이 비슷한 것을 눈치챘는가? 이 두 질병은 겉보기에는 아예 관련 없는 것처럼 보이지만, 발병을 일으키는 바이러스는 서로 유전적으로 관련이 있다고 한다. COVID-19의 명칭을 자세하게 풀면, Corona Virus Disease 19의 약자이다.

달이 태양을 가리면서 나타난 코로나층

코로나, 분명 생각보다 익숙한 단어이다. 지금부터 내 것인 듯, 내 것 아닌, 내 것 같은 '코로나'를 알아보자. 코로나(Corona)는 라틴어로 왕관(crown)이라는 뜻이다. 서양에서는 대관식(戴冠式)을 coronation이라고 부른다. 코로나는 의외로 다양한 분야에서 쓰이는 용어이다. 우선, 첫 번째로 지구과학 분야이다. 지구과학에서 코로나란 태양의 바깥층 플라즈마 대기를 말한다. 태양의 대기 구조를 크게 나누면, 태양의 표면인 광구, 표면과 접해 있는 채층, 그 바깥의 코로나 층이 존재한다. 태양의 바깥층을 코로나라고 명명한 이유는 일식 때 왕관 모양으로 빛났기 때문이라고 한다.

두 번째는 통화 단위이다. 덴마크, 노르웨이, 아이슬란드, 스웨덴으로 여행을 가 본 독자들에게 크로네(Krone)와 크로나(Krona)는 익숙한 단어일 것이다. 이것은 crown에서 유래된 말이다. 대개의 화폐에는 지배자나 군주, 왕의 초상화가 그려진다. 크로네와 코로나도 화폐에 왕의 초상화나 왕관이 디자인된 것에서 유래되었다고 한다.

세 번째는 맥주이다. 맥주를 좋아한다면 Corona Extra를 알 것이다. 멕시코에서 생산되는 인기 맥주로, 쓴맛이 적고 가벼워서 전 세계적으로 인기를 끌었다. 맥주병에 왕관 모양이 그려져 있는데, 푸에트로 바야르타 마을의 과달루페 성모 성당을 숭배하는 왕관으로부터 유래한 것이다. 멕시코의 국민 맥주답게 현지 시장 점유율이 60퍼센트가 넘는다고 한다. 미국에서도 가장 인기 있는 맥주 중 하나이며, 영화 '분노의 질주'에도 특별 출연했다. 하지만 이 대단한 맥주도 코로나바이러스로 곤욕을 치렀다. 코로나바이러스와 이름이 같다는 이유로 검색창에 Corona Beer Virus, Beer Virus, Beer Corona Virus와 같은 검색어가 폭발적으로 급증했기 때문이다. 구글 트랜드의 자료에 따르면 2020년 1월 18일에서 26일까지의 Corona Beer Virus 검색량은 약 23배나 상승했다고 한다. 이에 Corona Extra 본사에서 코로나바이러스와 Corona Extra 맥주는 아무 관련도 없다고 공식적으로 밝히기까지 했다.

영화 '분노의 질주'에서 등장한 코로나 맥주

의대생들의 수다

인체와 코로나

바깥세상에서 눈을 돌려 우리 몸 안에서 코로나를 살펴보자. 먼저 앞서 본 태양의 코로나와 비슷한 형태를 난자에서 찾아볼 수 있다. 난소에서 corona radiata는 부챗살관(방사관)이라고 하고, 난자 세포를 보호하는 껍질을 말한다. 껍질의 형태가 난자를 둘러싸는 왕관 모양이기 때문에 코로나라는 명칭을 가졌다. 정자가 첨단체의 효소인 히알루로니다제(hyaluronidase)를 이용하여 부챗살관을 통과하며 수정이 시작된다. 그 후 부챗살관에 이어 투명층까지 통과하면, 다른 정자를 통과시키지 못하게 하는 겉질 반응(cortical reaction)이 일어난다. 수많은 정자 중 단 하나의 정자가 난자와 만났으니 말 그대로 왕관을 쓸 자격이 되는 듯하다.

corona radiata라는 용어는 대뇌에서는 또 다르게 사용된다. 대뇌부챗살이라고 불리는데, 대뇌의 백색질 속에 신경섬유 부분으로 부채모양으로 뻗어나가는 형태이다. 대뇌피질(cerebral cortex)에서 뇌줄기(brainstem)과 척수(spinal cord)로 뻗는 신경섬유를 투사섬유(projection fiber)라고 하는데, 대뇌피질 쪽은 넓지만, 뇌줄기로 내려오면서 좁아진다. 이 섬유들이 방사되어 마치 부채를 편 모습과 비슷해서 붙여진 이름이다. 서양에서는 왕관의 형태 원을 그리는 것(방사, 放射)을 우리는 부채를 펴듯 넓게 펴지는 것으로 보았기에 부챗살이라는 용어를 쓴 것이다.

심장의 관상동맥(coronary artery)에도 코로나라는 이름이 붙는다. 최근에는 심장동맥이라고 하는 이 관상동맥이란 무엇일까? 우리 몸의 장기들은 동맥으로부터 영양분을 공급받으며 기능을 유지한다. 심장 또한 동맥에서 영양분을 공급받으며 지속적으로 수축하여 온몸으로 이동하게 하는 펌프 역할을 한다.

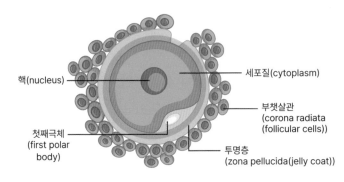

핵(nucleus) · 세포질(cytoplasm) · 부챗살관(corona radiata (follicular cells)) · 첫째극체(first polar body) · 투명층(zona pellucida(jelly coat))

난자의 구조

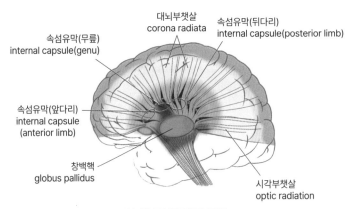

속섬유막(무릎) internal capsule(genu) · 대뇌부챗살 corona radiata · 속섬유막(뒤다리) internal capsule(posterior limb) · 속섬유막(앞다리) internal capsule (anterior limb) · 창백핵 globus pallidus · 시각부챗살 optic radiation

뇌 내부의 해부학적 구조

관상동맥이란 이 심장에 혈액을 공급하는 동맥으로 우리 몸에서 가장 중요한 기능을 하는 혈관 중 하나이다. 만약 관상동맥이 심장에 혈액을 전달하지 못하면 심근경색이나 협심증과 같은 심장 질환이 올 수 있다. 관상동맥이 코로나라는 이름을 받은 이유는 심장을 둘러싼 관상동맥의 형태가 왕관과 비슷한 형태를 가지고 있기 때문이다. 이 왕관은 앞서 말한 왕관보다는 월계수 관과 비슷한 형태임을 볼 수 있다. 코로나바이러스는 앞서 난소에서 본 것과 같은 형태의 왕관이다. 현미경으로 바이러스의 형태를 확인했을 때, 둥근 몸통에 돌기가 튀어나온 모습이 왕관의 형태를 하고 있어서 '코로나바이러스'라는 이름이 붙었다.

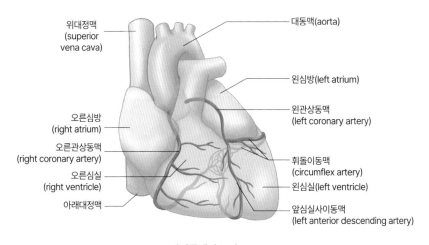

관상동맥의 분지

코로나의 역설

재미있는 영화나 만화에는 악당이 반드시 나온다. 악당을 단순히 '나쁜 놈'이라고 생각할 수도 있지만, 주인공이 반드시 성장하기 위해서 지나가야만 하는 과제를 던져주는 중요한 역할을 수행하는 인물이다. 악당이 없다면 세상 그 어떤 영화도 드라마도 만화도 재미없을 것이다. 주인공의 성장도 보기 어려울 것이다. 악당이 '악(惡)'이라는 것은 부정할 수 없지만, 넓은 관점으로 보면 일부 긍정적인 영향도 존재한다. 코로나는 우리에게 고통을 주는 명백한 '악당'이지만, 드물게 긍정적인 영향을 준 것이 있다. '코로나의 역설'이라는 말을 들어보았는가? 코로나바이러스로 인해 의외의 영역에서는 긍정적인 현상이 발생하였다.

코로나의 역설 첫 번째는 환경 부분에서 발생했다. 여행의 감소와 활동 감소가 대기 및 수질 오염, 지구온난화의 진행 속도, 기후 변화에 긍정적인 영향을 미쳤다. 2020년 2월부터 중국에서 석탄 및 석유의 소비가 줄었고, 탄소 배출량은 25퍼센트 이상 감소했다. 코로나가 팬데믹으로 진행되면서 중국뿐만 아니라 유럽도 마찬가지였다. 이탈리아 북부, 영국, 스페인, 독일에서 대기 오염 물질인 이산화질소의 농도가 상당히 많이 감소한 것이다.

인도에서는 신비로운 기적이 발생했다. 인도 북부 잘란다르 지역에서 평소에는 탁한 공기 때문에 보지 못했던 히말라야 설

산이 관측되었다. 이러한 현상은 대략 30년 만에 일어난 일이라고 한다. 인도 뭄바이 인근 샛강에서는 무려 15만 마리의 홍학 무리가 날아왔다. 이 지역은 매년 홍학 무리가 날아오는 지역이지만, 이 수치는 최소 25퍼센트나 증가한 것이라고 한다. 관계자는 이것이 인도의 수질 및 대기 환경 개선이 홍학 서식에 유리한 환경을 조성했기 때문이라고 분석했다.

인도 나비뭄바이 샛강을 찾은 홍학떼
(출처: 서울신문, 2020)

더 믿기지 않는 현상도 발생했다. 코로나 시기에 땅의 진동조차 줄어든 것이다. 공공장소 폐쇄 및 여행 금지의 조치가 벨기에, 미국 로스앤젤레스, 영국 런던 등에서 인간 활동에 의한 지진과 소음을 감소시켰다는 연구 결과가 세계적인 학술지인 네이처(Nature)에 보고되었다! 우리나라는 어땠을까. 환경부의 자료에 따르면, 2020년의 전국 초미세먼지 평균 농도가 전년도에 비해서 27퍼센트나 감소했다고 한다.

이외의 다른 지역에도 환경이 좋아졌다는 지표는 셀 수도 없이 많이 찾아볼 수 있다. 브라질 동북부 해변에서 국제적 멸종 위기에 처한 매부리바다거북 떼가 모래 속에 파묻힌 알을 깨고 바다를 향해 일제히 기어나갔다는 소식, 세계 곳곳에서 미세먼지 농도가 크게 줄었다는 뉴스, 생태계가 복원되면서 도심에 동물들이 출몰하기 시작했다는 기사 등을 통해 인간이 지구에 얼마나 이기적인 존재였는지 깨닫는다. 코로나바이러스 때문에 우리가 마스크를 끼고 답답하게 숨을 쉬어야 하는 동안, 지구는 답답했던 숨통을 잠시나마 틀 수 있었던 셈이다. 인간에게는 코로나바이러스가 '악당'일지 몰라도 지구에는 오히려 인간이 가장 해로운 악당인지도 모르겠다.

코로나의 역설 두 번째 이야기는 특정 질병의 감소이다. 코로나바이러스가 유행하면서 독감이나 감기와 같은 다른 호흡기 질병의 발병률이 감소했다. 사람들이 COVID-19를 예방하기 위해서 외출의 감소, 마스크 착용 및 손 씻기 등의 위생에 대한 관념이 높아졌기 때문이다. 이에 따라 호흡기 질환의 환자들과 사망자들도 크게 줄었다. 일본에서도 2020년에 2009년 이후 처음으로 전년 대비 사망자가 감소했다. 코로나가 유행했는데 사망자가 오히려 감소했다니! 중국에서도 비슷한 연구 결과가 있었다. 중국에서 2020년 1~2월 사이에 미세먼지 농도가 감소하면서 천식과 같은 호흡기 질환 환자가 6만 명 이상 감소하고 호흡기 질환 입원 환자는 약 5천 명 감소했을 것이라는 분석이 있었다.

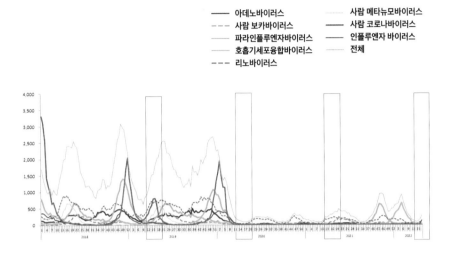

아데노바이러스 **사람 메타뉴모바이러스**
- - - 사람 보카바이러스 **사람 코로나바이러스**
파라인플루엔자바이러스 **인플루엔자 바이러스**
호흡기세포융합바이러스 **전체**
- - - 리노바이러스

**18-22년 바이러스성 급성호흡기감염증 발생추이 그래프,
코로나 이후 급성호흡기감염증 발생이 확연히 줄었다.
(출처: 감염병 표본감시 주간소식지 2022년도 17주차 4.17.~4.23.)**

코로나에 대한 자료들을 조사하면서 코로나바이러스 유행
을 계기로 위생 개념을 일깨울 수 있는 계기로 삼았으면 좋
겠다고 생각했다. 손 씻기나 마스크 착용 같은 행동이 좋은 예
시이다. 과거에 화장실에서 사람들이 손을 씻고 나오는가에 관
한 실험 결과를 본 적이 있는데, 생각보다 많은 이들이 위생에
전혀 관심이 없었다. 하지만 현재는 어디서든지 손소독제를 쉽
게 찾아볼 수 있다. 위생을 지키는 것은 엄청나게 대단하고 어
려운 행위가 아니다. 화장실에서 나올 때 손 씻기, 재채기할 때

손으로 가리기, 손이 더러워지면 손소독제로 소독하기 등 조금만 신경 쓴다면 해낼 수 있는 매우 간단한 행위이다.

마지막으로 사회 분야에서 코로나의 역설을 살펴보자. 재택근무 시간이 길어지면서 우스갯소리로 '확진자'가 아니라 '확찐자'가 속출했다. 외부 활동이 줄고 집에서 배달 음식을 자주 먹으면서 체중이 급격하게 증가한 상태를 뜻한다. 비만의 척도로 체질량지수(Body Mass Index, BMI)가 널리 쓰이고 있다. BMI (kg/m^2)를 구하는 방법은 몸무게(kg)를 키(m)의 제곱으로 나눈 값으로, 예를 들자면, 몸무게 78킬로그램에 키 180센티미터(=1.8 m)인 사람의 BMI는 $78kg/(1.8m)^2=24.07$이다. 우리나라에서는 BMI가 18.5 미만이면 저체중, 18.5~22.9는 정상, 23~24.9는 과체중, 25.0 이상부터는 비만으로 판정하고 있다.

팬데믹이 끝나고 평소 지나쳤던 관계의 중요성을 느꼈다는 사람들이 많았다. 대표적으로 '가족의 소중함'이다. 현대 사회는 가족 간에 소통의 부재가 흔한 모습으로 보인다. 과거에는 모두 거실에 모여 같은 텔레비전 프로그램을 보며 시간을 보냈지만, 최근엔 각자 보는 영상이 개인별로 맞춤화되었다. 집에 있어도 가족과의 대화는 잠깐일 뿐, 각자 스마트 폰이나 노트북을 보기 바쁘다. 코로나 유행으로 사람들이 집에 머무는 시간이 길어지면서 가족 구성원들 간의 친밀도가 상승하고 단절된 대화가 다시 이어진 것은 다행스러운 일이다. 가족은 우리가 살아가는 평생 가장 소중한 타인이다. 그동안 가장 소중한 사람들을 가장 가까운 곳에 있다는 이유만으로 잊어버리고 있었던 것은 아닐까. 코로나의 역설이 남긴 긍정적인 영향이 오래 유지되기를 바란다.

코로나! 넌 누구냐?

- 최근 코로나바이러스로 전세계가 많은 아픔을 겪었다. 코로나 (corona)의 어원은 라틴어 왕관이며, 다양한 분야에 사용되는 용어 이다.

- 용어 코로나는 우리 인체 해부학에서도 사용된다. 난자 세포를 보호 하는 왕관 모양의 껍질과 대뇌의 백색질 속 부채모양의 섬유를 corona radiata(부챗살)라고 부른다. 또한, 심장에 혈액을 공급하는 왕관 형태의 동맥을 coronary artery(관상동맥)이라고 부른다.

- 코로나가 세상에 아픔만을 준 것은 아니다. 코로나의 역설은 코로나 바이러스가 환경 부문에서 긍정적인 영향을 주었고, 다른 호흡기 질 병의 발병률을 낮추었다.

우리 몸의 천연 마스크, 코

코는 왜 막힐까?

코로나19에 걸리면 발열과 함께 감기와 같은 증상이 나타난다. 콧물 코흘리개 시절, 추운 겨울이 오면 누구나 한두 번은 감기에 걸려 본 경험이 있을 것이다. 감기를 이르는 우리 토박이말이 바로 '고뿔'인데, '고'는 코의 옛말이고 '뿔'은 본래 불이라는 말이다. 말 그대로 '고뿔'은 코에 불이 붙었다는 뜻인데 코에 불이 났으니, 머리가 아프고 콧물이 나며 어지러워 힘든 것도 당연한 일이다. 그중에서도 가장 짜증스러운 증상은 코가 막혀 답답함을 느끼는 것이다. 막힌 코를 뚫어볼 요량으로 힘차게 콧물을 풀어 보기도 하지만 좀처럼 코가 시원해지지 않는다. 그러다 보니 잠을 잘 때에도 자연스레 입을 벌려 눕게 되어 편안한 잠은 고사하고 아침이면 어김없이 찾아오는 목의 통증이 우리를 힘들게 한다.

코는 왜 막히는 것일까? 외형적으로 우리가 보는 코의 모양은 오뚝 선 콧날과 자그마한 콧구멍뿐이고, 구조적으로는 겉의 피부와 툭 튀어나온 코뼈, 그리고 연골 부분이 전부지만, 코는 호흡의 기능 외에도 냄새를 맡는 기능, 흡입한 공기를 걸러내고, 데우고, 습도를 유지하며 먼지를 걸러내는 기능 등의 기능이 있다.

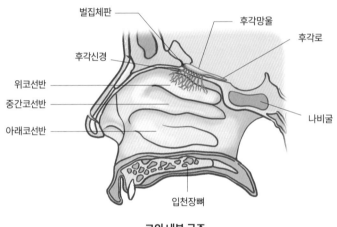

코의 내부 구조

코의 내부 구조를 살펴보자. 코의 내부는 콧구멍으로 들어온 공기가 어떻게 이동하는지 따라가면 쉽게 알 수 있다. 우선 콧구멍 바로 안쪽으로 들어오면 둥그런 돔 형태의 코안뜰(nasal vestibule)이 존재한다. 코안뜰은 콧구멍보다 넓어서 들어온 공기가 머물며 호흡하기 좋은 상태가 되어서 다음 단계인 코인두(nasopharynx)로 넘어가게 된다. 콧속에는 이물질과 불순물을 걸러주는 필터 역할을 하는 코털이 있으며 이곳을 지나면 본격적으로 코의 내강(코안), 즉 비강(nasal cavity)이 나온다. 코안은 중앙에 수직으로 된 코중격(nasal septum)을 중심으로 양쪽으로 나뉘게 된다. 코안에는 선반처럼 튀어나온 세 개의 뼈가 존재하는데, 가장 위쪽부터 위코선반(상비갑개, superior nasal concha), 중간코선반(중비갑개), 아래코선반(하비갑개)으로 부른다. 이 세 개의 코선반의 점막에는 모세혈관과 분비선이 풍부하며 콧속으로 들어오는 공기의 양과 온도, 습도를 조절하고 먼지를 걸러낸다. 특히 아래코선반은 공기의 흐름을 조절하는 데 매우 중요한 역할을 하기에 '코안의 마스크'라고 부르기도 한다.

감기에 걸렸을 때 문제가 되는 부분이 바로 이 코선반, 특히 아래코선반이다. 비염이나 감기에 걸리면 면역반응을 담당하는 히스타민이 분비되는데, 이는 코선반의 혈관을 확장해 더 많은 혈액이 흐르게 하며 외부에서 차가운 공기가 들어오면 이 공기를 따뜻하고 촉촉하게 만들기 위해 코선반에 더 많은 혈액이 흐르게 된다, 이 과정에서 코선반의 혈관과 세포가 비대해지며 부어오르고 더 많은 콧물이 나온다.

반대로 콧속 공간은 좁아지는데 콧물이 많이 나오니 당연히 콧물이 밖으로 빠져나가지 못하여 고이게 됨으로써 코가 막히는 것이다. 코막힘의 근본적인 원인인 이 점막의 비대가 해결되지 않으면 코만 계속 풀어댄다고 코막힘이 해결되지 않는 이유가 바로  여기에 있다. 코막힘이 생겼을 때는 코 내부 조직의 진정 효과를 위해 따뜻한 수건으로 살짝 코 위를 덮거나, 코나 입에 따뜻한 증기를 쬐어 주면 도움이 되기도 한다. 만성 코막힘으로 고생하는 사람들은 코막힘의 가장 주원인인 아래코선반의 용적을 줄이는 수술을 하는데, 흔히 병원 광고물에서 자주 보는 하비갑개축소술 혹은 성형술이 바로 이것이다.

콧구멍에도 주기가 있다

비염이 심한 시기나 감기에 걸렸을 때 혹은 평소에도 양쪽 코가 다 막히기보다는 한 쪽씩 번갈아 막히는 경우가 있다. 한쪽 코가 심하게 막히면 반대쪽은 약간 뚫리는 식인데 왜 이런 증상이 나타날까? 이는 코의 피로를 줄이기 위해 숨을 주로 쉬는 콧구멍이 4시간을 주기로 서로 바뀌는 비주기(鼻週期, nasal cycle)와 관련이 있다고 한다. 예를 들어 왼쪽 코점막이 수축하면서 콧구멍이 넓어지면 오른편 코점막은 팽창하면서 콧구멍이 좁아지는 식이다. 그동안은 왼쪽 콧구멍으로 주로 숨을 쉬며 오른쪽 콧구멍은 잠시 쉬며 피로를 풀 시간을 가지게 된다. 하지만, 평상시에는 이 차이를 느끼지 못하다가 감기와 같은 질병으로 코가 막히면 잘 느껴지게 된다고 한다. 감기에 걸렸을 때 주로 숨을 들이쉬는 쪽의 넓은 콧구멍은 점막이 팽창해도 공간을 확보할 수 있어 막히지 않지만, 비주기에 의해 이미 좁아진 반대쪽의 콧구멍은 코선반의 팽창으로 더 좁아져 막히기 때문이다.

코막힘을 막으려면

그렇다면 국소 스테로이드 같은 약물을 사용하는 방법 외에 코가 막히지 않는 방법이 있을까? 우선 누워있는 자세보다는 앉거나 서 있는 자세를 취하는 것이 좋다. 사람이 눕게 되면 머리에 혈액이 몰리면서 혈관이 팽창되어 아래코선반이 부풀어 오르기 쉽기 때문이다. 또 다른 방법으로는 마스크를 쓰는 것이 상당히 도움이 된다. 마스크가 외부 바이러스나 세균 감염으로부터 우리 몸을 보호하기도 하지만, 차가운 공기의 접근을 막아 콧속 코선반의 역할을 덜어주기 때문이다. 코로나19 시기에는 매일 사용해야 하는 마스크가 불편하기 짝이 없었으나 아이러니하게도 우리 몸의 또 다른 마스크인 코선반의 부담을 줄여 많은 이들이 감기에 걸리지 않도록 도움이 되는 것이다. 팬데믹 시대를 살면서 마스크를 호흡기 보호용 의료용품이라는 인식의 차원을 넘어 일상의 패션으로까지 인식하게 되었다. 이제 마스크는 우리 일상을 파고드는 건강상품이자 패션용품이 되었다고 해도 지나치지 않을 것이다.

코로나가 유행하던 시절 외출 필수
준비물이 되어버린 마스크
(출처: 질병관리청)

우리 몸의 천연 마스크

- 코는 호흡의 기능 외에도 냄새를 맡는 기능, 흡입한 공기를 걸러내고 습도를 유지하며 먼지를 걸러내는 기능 등을 한다.

- 코 안에는 위코선반, 중간코선반, 아래코선반이라는 세개의 뼈가 존재하는데, 감기가 걸렸을 때 코선반 주변 혈관이 확장되고 세포가 비대해지게 되어 콧물이 밖으로 빠져나가지 못하고 코막힘이 생기게 된다.

- 비염(rhinitis)이 심할 때 한쪽씩 번갈아 막히는 경우가 많은데, 숨을 주로 쉬는 콧구멍이 4시간을 주기로 서로 바뀌기 때문이다.

- 코막힘을 예방하려면 누워있는 자세보다 앉거나 서 있는 자세를 취하는 것이 좋고 마스크를 쓰는 것도 도움이 된다.

코골이는 코에서
나오는 소리가 아니다?

코골이가 생기는 이유

자신의 코골이 소리는 알 수 없지만, 누군가의 코골이 소리를 들어본 경험을 있을 것이다. 드르렁거리는 코골이 소리를 가끔 들으면 재밌고 귀엽다며 웃어넘기기도 하지만 코골이 수준이 귀여움을 넘어 옆 사람의 수면을 방해한다면 이야기는 달라진다. 실제로 우리나라에서도 배우자의 코골이가 이혼 사유로 꼽힌 판례가 있을 정도이며, 사정없이 골아대는 코골이는 배우자의 숙면을 방해하는데, 이때 발생하는 소음은 무려 지하철 소음과 맞먹을 정도라고 한다. 사랑만으로 참아내기에는 어려움이 있을 수 있으며 코를 고는 당사자도 매우 난처한 일이 아닐 수 없다.

공포의 코골이 소리

코골이의 시끄러운 소리는 어디서 나는 것일까? '코골이 (snoring)'라는 명칭 때문에 얼핏 생각하면 코에서 나는 소리라고 생각할 수 있지만, 사실 코골이는 코에서 나는 소리가 아니다. 잠을 자는 동안 코를 통해 들이마신 공기는 목구멍을 거쳐 폐로 들어가는데, 이때 목구멍 속의 목젖과 주위 점막 등이 좁아져 공기 흐름에 저항을 받게 된다. 공기의 흐름에 의해 주변 조직에 진동을 일으켜 발생하게 되는 '호흡 잡음'이 코골이다. 사람마다 차이는 있지만 성인 기준 1회 숨을 들이마실 때마다 약 400~500밀리리터 정도의 공기를 흡입한다. 500밀리리터 생수병만큼의 공기를 흡입하는 셈이니 결코 적은 양이 아니다. 많은 양의 공기가 좁아진 목으로 한꺼번에 들어가려다 보니 공기가 흘러가는 속도가 빨라지고, 우리 몸에도 떨리는 구간이 생기는데 목젖이 있는 연구개 부분이다. 공기가 빨리 통과하면 연구개와 인두에 해당하는 목 뒷벽이 좁아지다가 마찰이 일어나 코골이가 생기는 것이다.

코골이가 잠을 잘 때 생기는 이유도 바로 여기에 있다. 잠을 자면 목 안에 있는 근육의 힘이 빠져 숨을 들이마실 때 목 안이 좁아지는 것이다. 특히 피곤하거나 수면제나 진정제 등의 약물이나 술을 마신 후 수면 시에도 근육의 긴장도가 평소보다 더 풀리게 되어 코골이가 잘 일어난다.

코골이가 심해지는 주된 원인은 무엇일까? 우선 선천적인 신체 구조를 손꼽을 수 있다. 코안에서 목 안쪽의 기도까지 이어지는 코인두가 좁거나, 혀가 유난히 크거나, 골격 구조상 턱이 작은 경우에도 목구멍 부위가 좁아져 코골이가 나타날 수 있다. 후천적인 요인으로는 비만과 밀접한 관련이 있다. 목이 굵고 짧은 살찐 사람들에게서 코골이가 많이 나타나는데, 공기가 지나는 목젖과 주위 점막들이 비만으로 인해 비대해지면서 공기 흐름에 주위 점막이 쉽게 떨려 소리가 나는 것이다. 이전까지는 코를 골지 않던 여성들도 중년이 되어 살이 찌면서 코를 골기 시작하는 이유도 비만 때문이다.

코골이가 심하면 수면무호흡증이 생길 수도 있다

최근 여러 연구 결과에 의하면 기도가 좁아져 생기는 코골이의 주된 원인은 구조적인 영향보다는 기도를 유지하는 근육의 약화가 원인이 되는 경우가 많다. 오케스트라의 오보에나 색소폰 연주자들에게 코골이 환자가 거의 발견되지 않는 것은 기도를 유지해 주는 근육이 악기 연주로 인하여 단련되어 있기 때문인데, 여기에 힌트를 얻어 최근에는 목 주위의 근육을 강화하는 재활 운동도 코골이 치료에 많이 활용되고 있다.

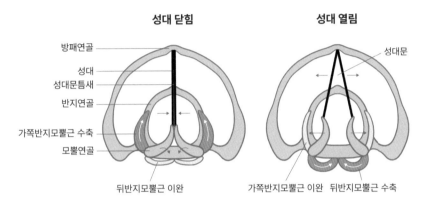

소리를 내는 성대의 작용

코골이는 인구의 절반이 경험하는 매우 흔한 현상이지만 수면 중에 일어나는 신체 반응이어서 정작 본인은 알지 못하는 경우가 많고, 가족이나 주변 사람들의 이야기를 통해 알게 되는 경우가 대부분이다. 자신의 코골이로 인해 사랑하는 가족이 고통받는 게 미안하여 고쳐 보고자 노력하지만, 수면 중에 발생하는 코골이를 고치는 데는 어려움이 많다. 그러나 단순한 코골이라면 건강상 큰 문제는 없으나, 코를 심하게 곤다는 것은 건강 이상의 신호이기도 하며 여러 합병증을 초래할 수 있기에 결코 쉽게 넘겨서는 안 된다.

심하게 코를 고는 사람 중에 자다가 숨을 멈추는 증상이 나타나는 경우가 있다. 이를 '수면무호흡증'이라고 하는데 잠을 자는 중에 공기가 들어가는 인두가 매우 좁아져 공기의 흐름이 멈추고 몸 안에 산소가 제대로 공급되지 못하다가 다시 공기가 들어가는 증상을 일컫는다. 수면무호흡증은 수면의 질을 떨어뜨려 낮에도 졸음이 몰려들며 피로감, 두통, 기억력 저하, 집중력 저하 등이 나타날 수 있다. 오래 지속되면 심혈관계 질환, 고혈압, 뇌졸중, 당뇨 등의 발병률을 높일 뿐 아니라 돌연사 등과도 직접적인 연관이 있으니 가족 중에 코골이를 심하게 하는 분이 있다면 '시끄럽네', '불편하네' 정도로만 생각할 것이 아니라 더 큰 병이 발병하기 전에 병원을 방문하여 적극적인 치료를 받을 수 있도록 하여야 한다.

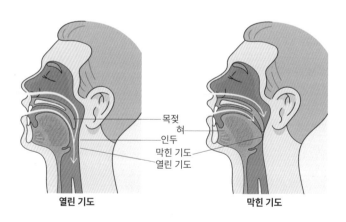

목젖
혀
인두
막힌 기도
열린 기도

열린 기도   막힌 기도

코골이, 수면무호흡증 환자의 기도 구조

일상에서 코골이를 줄이는 방법

심한 코골이를 해결하기 위해 수술적 치료를 하기도 하지만 현재까지 성인 수면 무호흡증의 가장 좋은 치료 방법은 잠을 자는 동안 '양압호흡기'를 사용하는 것이다. 양압호흡기는 마스크 형태로 되어있어 수면 전 착용하면 잠을 자는 동안 코나 입으로 공기를 불어 넣어 인두가 좁아지는 것을 막아준다. 수면 무호흡이 동반되지 않는 단순 코골이라면 크게 걱정할 필요가 없지만, 일상에 방해가 되기는 마찬가지다.

코골이를 해결하기 위해 일상생활에서 할 수 있는 손쉬운 방법이 있을까? 우선 바로 눕는 수면 자세보다 옆으로 눕는 수면 자세가 도움이 된다. 바로 눕는 수면 자세는 혀가 뒤로 밀리면서 기도 공간이 협소해져 코골이가 심해질 수 있으므로 옆으로 누워서 자는 것이 기도가 확보되어 코골이를 줄일 수 있다. 그리고 가볍거나 푹신한 배게 대신 단단하고 지지력 있는 메모리폼 베개 등을 사용하는 것이 좋다. 베개 높이를 약간만 높여도 턱이 앞으로 향하고 목 안이 넓어져 숨쉬기 훨씬 수월해지기 때문이다. 자신이 적정 몸무게를 넘어선 비만이라면 다이어트를 통해 지방량을 줄이는 것도 좋은 방법이다. 지방량이 줄어든 기도는 다시 원래대로 넓어져 코골이 증상이 완화된다. 마지막으로 제안하고 싶은 방법은 혀뿌리와 목젖 근육을 탱탱하게 유지하기 위한 혀 근육 강화 운동이다. 목 주위의 근육이 강화되면 기도가 좁아지는 현상을 막을 수 있기에 코골이 개선에 도움이 된다.

지금까지 코골이에 대해 알아보았다. 코를 골고 싶어서 고는 사람은 없을 것이다. 코골이 당사자는 가족의 숙면을 방해해서 미안해하고, 코를 골지 않는 가족들은 밤잠을 설쳐 힘들어한다. 하지만 비가 온 뒤에 땅이 굳는다는 말이 있듯 코골이로 인한 서로의 불편함을 이해하고 함께 해결하려 노력하는 과정에서 가족 관계가 더 돈독해지는 것이 아닐까? 그러니 건강에 큰 문제가 없다면 가족의 코골이가 들릴 때, 힘든 하루를 보낸 반증이라고 생각하며 따뜻한 마음으로 베개 높이를 높여 주자. 만약 본인이 코골이를 한다면 사랑하는 가족을 위해 일상에서 쉽게 할 수 있는 치료법을 적극적으로 시작하자.

코골이는 코에서 나오는 소리가 아니다?

- 코골이(snoring)는 코에서 나오는 소리가 아니고 목에서 나는 소리 인데, 잠을 잘 때 목안에 있는 근육의 힘이 빠져 목안이 좁아지고, 좁아진 길을 공기가 빨리 통과하다가 마찰이 일어나 소리가 생긴다.
- 단순한 코골이라면 건강상 큰 문제는 없지만, 코를 고는 사람 중에 자다가 숨을 멈추는 증상인 수면무호흡증(sleep apnea)이 생기게 되면 피로감, 기억력 저하 등 여러 건강상의 문제가 생긴다.
- 코골이를 줄이기 위해서는 바로 눕는 자세보다 옆으로 눕는 자세가 도움이 되며, 단단하고 지지력있는 메모리폼 배게를 쓰는 방법, 혹 비만이라면 다이어트를 통해 지방량을 줄이는 것도 좋은 방법이다.

귀를 뚫어야 하는 이유

몸의 감각 중 가장 먼저 발달하는 청각

우리 몸의 감각 중 가장 빨리 발달하는 것이 무엇일까? 귀를 통해 소리를 듣는 청각이다. 엄마 배 속 태아는 발생 3주가 되면 귀의 외형이 생기고, 발생 3~4개월 정도에 소리가 전달되는 달팽이관이 만들어지며, 발생 5~6개월 정도면 뇌와 귀가 연결되는 청각 신경망이 완성되므로 이때부터는 태아도 소리를 듣고, 부모님의 목소리를 기억한다고 한다. 예로부터 임산부 앞에서는 말도 가려서 하라고 한 이유가 바로 여기에 있다. 태아의 정서 발달을 위해 태교 음악을 들었던 것도 이러한 사실을 바탕으로 한 것이다.

우리 얼굴의 좌우 측면에 각각 위치한 귀는 두 가지 중요한 기능을 담당하고 있다. 하나는 소리를 듣는 것이고, 또 하나는 몸의 균형을 유지하도록 돕는 것이다. 우선, 귀는 소리를 어떻게 듣고 구별하는지 알아보자. 세상에는 다양한 소리가 존재하며 각각의 소리는 음파로 구성되어 공기를 통해 퍼진다. 사람의 귀는 이러한 공기의 진동을 매우 복잡한 과정을 거쳐서 소리로 느끼는데 해부학적으로는 바깥귀, 중간귀, 속귀로 구분된다.

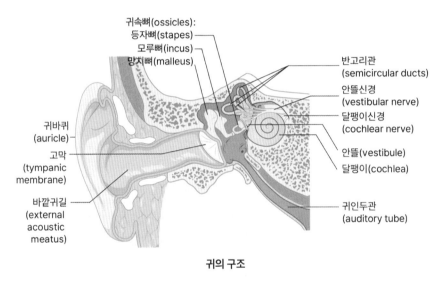

귀의 구조

바깥귀(외이)는 귓바퀴(이개, auricle)와 바깥귀길(외이도, external acoustic meatus)을 포함하는 것으로 귓바퀴에서 모인 소리는 공명기 역할을 하는 바깥귀길을 거쳐 고막에 전달된다. 바깥귀길에서 종종 귀지(cerumen, earwax)가 발견되는데 귀 안의 피부에 분포하는 아포클린땀선의 분비물과 박리된 표피나 먼지 등이 섞

여서 형성되는 이물질이다. 흥미로운 것은 인종에 따라 귀지의 특성이 다르다는 것이다. 한국인을 포함한 동양인에서 귀지는 황갈색이거나 회색빛을 하고 건조한 편이다. 반면, 서양인의 귀지는 짙은 갈색이고, 습하거나 심지어 끈적거리기도 한다. 건조한 귀지는 억지로 파내지 않아도 자연스럽게 배출되므로, 무리하게 파낼 필요가 없다. 반면 코의 점막의 분비물로 생긴 코딱지는 공기의 흡입을 방해하므로 적절하게 제거하는 게 좋다.

중간귀의 구조물을 살펴보자. 새끼손톱 크기의 고막(tympanic membrane)은 바깥귀와 중간귀를 나누는 경계선으로 소리의 전도에 매우 중요한 역할을 한다. 바깥귀를 통과해 들어온 소리의 파동으로 고막이 북처럼 떨리면 중이에서 그 소리를 진동으로 받아들인다. 이 진동은 귓속뼈(이소골, auditory ossicle)이라는 귓속의 작은 뼈를 따라 달팽이관으로 전달되는데 달팽이관 속의 림프액이 흔들릴 때마다 작고 미세한 털세포(hair cell)가 진동하며 신경 신호를 만든다. 이 신호가 대뇌에 도달하면 비로소 소리를 듣고 이해하는 것이다.

중이염이라는 질환을 자주 들어봤을 것이다. 왜 하필 이렇게 중요한 중간귀에 염증이 잘 생기는 것일까? 청명한 소리를 듣기 위해서 중간귀의 공기는 깨끗해야 하므로 바깥귀길 외에도 바깥으로 연결된 관이 필요하다. 이것이 바로 귀인두관(유스타키오관, 이관, eustachian tube)이다. 3~4센티미터의 관을 통해 중간귀는 코인두와 연결되어 있으며, 이 둘 사이의 압력을 조절하는 기능을 한다. 소아의 귀인두관은 길이가 짧고 수평이어서 세균이나 바이러스가 중간귀로 올라가 감염을 일으키기 쉽다. 그러나 성장을 하면서 이 관의 길이가 길어지고 각이 생기면서 점액 및 이물질의 배출이 비교적 쉬워져 감염의 위험이 줄어들기에 성인이 되면 중이염 빈도가 떨어진다. 감기나 비염, 축농증 등이 있는 경우, 콧물을 통해 중이염이 걸릴 수도 있으니 콧속 환경을 청결하게 유지하는 것이 좋다.

귀가 먹먹해지는 이유

일상생활 속에서 귀와 관련하여 흔히 겪는 일이 귀가 먹먹해지는 증상일 것이다. 비행기를 타고 하늘을 날 때나 높은 산을 오를 때, 빠른 속도로 달리는 기차가 터널을 통과할 때나 물속을 잠수할 때도 귀가 먹먹해지곤 한다. 이런 증상은 귓속에서 발생하는 기압 차이 때문에 생긴다. 기압은 고도가 높아질수록 낮아진다. 외부 기압보다 높은 압력이 고막에 압박을 주기 때문에 압력 차이로 인해 귀가 먹먹해지는 것이다.

소리를 모아 고막으로 전달하는 외이와 고막을 진동시키는 중이는 소리를 잘 듣기 위해 서로 같은 기압을 유지하며 경계선에 있는 고막이 소리에 맞춰 잘 진동할 수 있도록 한다. 평소 귓속의 기압 조절을 담당하는 기관이 귀인두관이다. 비행기가

이착륙할 때는 기내 압력이 빠
르게 변하는데 귀인두관이 그
속도를 따라가지 못하여 고막
바깥쪽의 기압과 고막 안쪽의
기압 차이가 생기게 됨으로써
일시적으로 귀가 먹먹해지는
느낌이 드는 것이다.

기가 약해졌다면 귀가 약해진 것?

귀의 먹먹한 증상을 없애는 방법은 간단하다. 침을 삼키거나
음료수를 마시는 것이다. 귓속 기압 조절을 담당하는 귀인두관
은 입구 자체가 코와 연결되어 있으며 코의 뒤쪽 부분과 중이
를 연결하는 관으로 침을 삼킬 때나 음식을 삼킬 때만 잠시 열
리고 귓속 중이와 목구멍 간의 기압 차이를 맞춘 후에는 다시
닫힌다. 침을 삼키거나 음료수를 마시면 귀인두관이 열려 공기
가 들어오면서 귓속 기압의 평형을 찾을 수 있는 것이다. 또 다
른 방법으로는 양쪽 콧구멍과 입을 막고 숨을 내뱉는 발살바법
(Valsalva Maneuver)이 있다. 이때 가슴과 배 안의 압력이 올라
가면서 귀속으로 공기가 유입되는데, 딸꾹질을 멈출 때나 분만
시에도 종종 사용된다. 간혹 너무 힘을 주게 되면 혈관의 압력

이 높아져서 코피나 눈의 모세혈관이 터지기도 하며 심하면 뇌출혈을 일으킬 수도 있으니 조심해야 한다.

귀의 먹먹한 증상을 없애는 방법: 발살바법

귀를 뚫는다고 하면 바깥귀의 귓바퀴에 구멍을 내는 것을 생각한다. 멋을 위해 귀를 뚫는 것도 좋지만 더 중요한 것은 귀인두관을 통해 중간귀가 뚫려있어서 시원하게 소리를 듣고 적절한 목소리를 내는 것이다. 가끔 기가 막힐 정도로 답답한 일이 있다면 귀를 열고 마음도 열어보는 여유가 필요하겠다.

귀를 뚫어야 하는 이유

- 청각은 우리 몸의 감각 중 가장 빨리 발달한다고 한다. 귀는 소리를 듣는 역할 뿐 아니라 몸의 균형을 유지하도록 도와준다.

- 소리를 모아 고막으로 전달하는 외이와 고막을 진동시키는 중이는 평소에 같은 기압을 유지하는데, 이러한 귓속의 기압 조절을 담당하는 기관이 귀인두관(auditory tube)이다.

- 비행기가 이착륙하는 상황에서는 기내 압력이 빠르게 변하는데 귀인두관이 그 속도를 따라가지 못해 고막 내외에 기압차이가 생기게 되고 일시적으로 먹먹한 느낌이 든다. 침을 삼키거나 음료수를 마시면 귀의 먹먹한 증상을 해소할 수 있다.

KTX 좌석의 가격이 달랐던 이유

몇 년 전까지 KTX 순방향 좌석과 역방향 좌석의 가격이 달랐다는 사실을 아는가? KTX 역방향 좌석은 열차가 가는 방향과 반대 방향으로 앉아가는 좌석인데 어지러움을 호소하는 승객들이 나타나면서 한때 KTX 역방향 좌석의 운임이 정방향 좌석에 비해 약 5퍼센트 정도 할인된 적이 있었다. 하지만 KTX 승객을 대상으로 한 조사에서 역방향 좌석에서 느끼는 멀미감은 평균 0.92퍼센트에 불과했다는 연구 결과가 나오면서 KTX 역방향의 불편함은 근거 없는 일로 판명되었다. 그러나 현재까지도 KTX 역방향 좌석을 타기 꺼리는 사람들이 많다. 실제로 KTX를 타보면 역방향 좌석보다는 순방향 좌석을 선호하는 사람이 훨씬 많아 역방향 쪽 좌석들은 비어있는 경우가 많고, 새로 개발된 KTX-산천 차량과 SRT 차량의 경우 역방향 좌석을 없앴다고 한다. 하지만 기차 멀미는 교통수단 중에서 가장 드문 편의 멀미라고 한다. 기차의 특성상 요동이 적고, 급작스러운 방향 전환과 가감속도 드물기 때문이다. 그러나 차멀미나 뱃멀미는 누구나 한 번쯤은 경험했을 것이다. 차나 배에 오래 탔을 때 느껴지는 어지러움, 두통, 메스꺼움도 고통스럽지만, 내리고도 그 느낌이 쉽게 사라지지 않는다. 특히 심각한 뱃멀미에 시달리고 나면 대자연 앞에서 인간이 얼마나 무기력한 존재인지 깨닫게 된다.

멀미 방지턱, 전정기관

멀미가 생기는 이유는 눈의 시각 정보와 귀의 평형감각, 발바닥 감각 사이의 불일치 때문이다. 예를 들어 우리가 차를 타면 평소보다 몸이 많이 흔들린다. 이때 평형감각을 담당하는 귀의 전정기관 속의 림프액은 빠르게 흔들려 뇌에 '균형을 잡아!'라는 신호를 보낸다. 하지만, 시각과 발바닥 감각은 차의 움직임을 아직 덜 느끼는 상태다. 발바닥은 차에 붙어 있고 눈은 전정기관보다 흔들리는 풍경에 익숙해져서 감각의 불일치가 발생한다. 뇌가 혼란에 빠지는 상황에서 멀미가 생기는 것이다.

멀미를 방지하는 기관은 전정기관이다. 속귀에는 소리를 듣고 인지하는 달팽이관과 평형감각을 담당하는 전정기관이 있다. 전정기관은 세 개의 반고리관(semicircular duct)과 전정(안뜰, vestibule)을 일컫는 말이다. 3차원 속의 움직임을 감지하기 위해 3개의 반고리관은 서로 직각을 이루고 있으며 내부에는 림프액과 이석이 있다. 몸을 움직이면 전정 내부의 림프액과 이석이 움직이며 상하좌우의 움직임을 감지하는데, 이 움직임에 따라 림프액이 세 개의 평면에 흘러 회전 상태를 감지한다.

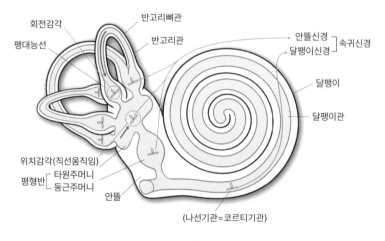

전정기관의 구조

멀미는 우리 몸의 스트레스 보호 장치

멀미 현상은 천천히 달리는 자동차보다 급가속이나 급감속이

잦은 자동차를 탈 경우, 평탄한 고속도로를 달릴 때보다 덜컹거리는 시골길을 달리는 경우 등 몸의 움직임이 많아질 때 더 심해진다. 그 이유는 사람이 직립보행을 하기에 전후좌우 움직임에는 쉽게 적응하지만, 상하 움직임에는 익숙하지 않아 이들 사이의 처리 속도에 불일치가 더 많이 발생하기 때문이다. 그런데 자동차의 운전자는 멀미 현상을 덜 느낀다. 왜 그럴까? 운전자의 대뇌는 자동차의 움직임이 바뀌기 전에 이미 움직이려는 방향을 인지하고 있어 다른 사람들보다 시각 정보가 빠르게 갱신되어 감각기관의 정보처리 속도의 차이가 현저히 줄어들기 때문이다.

멀미 중에서도 유독 뱃멀미가 가장 심한 이유는 배가 상하 운동이 가장 많은 교통수단이기 때문이다. 뱃멀미는 파도와 깊

은 관련이 있다. 파도치는 것을 보고 있으면 눈도 위아래로 움직여야 하고 파도의 출렁임을 따라 배 자체도 상하 운동을 자주 하기에 발까지 균형을 잡으려고 움직인다. 감각기관 간의 불일치가 커지면 뇌가 스트레스를 받는다. 우리 몸은 스트레스를 받으면 자신을 보호하기 위해 자율신경계가 작동해서 몸을 조이는데, 그 과정에서 위장 근육도 조여짐으로써 뱃속 음식물이 밖으로 튀어나온다. 이것이 멀미의 증상 중 하나인 구토이다. 여담으로, 구토를 뜻하는 영어 단어 'nausea'도 배를 뜻하는 그리스어 'naus'에서 유래했다고 한다. 해군(navy)이 사용하는 지도에서 유래한 차량용 지도를 네비게이션(navigation)이라고 한다.

일상에서 멀미를 예방하는 방법

일상에서 멀미를 막으려면 어떤 방법이 있을까? 우선 항히스타민제 약물이나 부교감신경 억제제 약제 등의 멀미약을 먹는 것도 하나의 방법일 것이다. 하지만 만 3세 미만의 영유아에게 모든 종류의 멀미약 복용은 절대 금지해야 하고, 운전자와 임산부 또한 권하지 않는다.

　멀미약을 복용할 수 없는 상황에서 취할 수 있는 가장 쉬운 방법은 차를 타고 갈 때 시야를 가까운 곳보다는 멀리 두어 풍경을 바라보며 가는 것이다. 자동차의 뒷좌석보다 앞좌석에 앉는 것이 시각 정보가 빠르게 업데이트되기 때문에 멀미가 덜 생긴다. 흔들리는 차 안에서 책을 읽거나 스마트 폰을 보는 등 시선을 한 곳에 집중하면 멀미가 더 잘생긴다. 운전자가 급가속이나 급감속을 줄여 우리 몸의 갑작스러운 움직임을 줄여 주는 것도 동승자의 멀미 예방에 도움이 된다. 배를 탈 때는 상하 운동이 가장 적은 곳, 배의 중간에 있는 좌석을 선택한다. 배를 타고 있는 동안 눈을 감고 있으면 시각 정보의 노출이 줄어들어 멀미를 덜 수 있다. 누울 수 있다면 발바닥 느낌도 줄어들고 몸의 회전도 없어져 도움이 된다. 잠을 잘 수 있다면 더 효과적이다. 멀미약에 잠이 오는 성분이 들어있는 것도 이런 이유에서다.

현대 사회에서 차를 타고 이동하는 일이 많아졌다. 이동 중 멀미를 예방하는 방법을 다양하게 소개했지만, 가장 좋은 방법은 운전자의 안전운전이다. '운전을 잘한다'의 기준은 얼마나 빠르게 운전하는지가 아니라 조수석에 있던 사람이 어느새 잠이 드는 운전이라는 말이 있다. '5분 빨리 가려다 50년 빨리 간다라는 말'처럼, 서두르다가는 교통사고가 나기 십상이다. 스스로 질문을 던져보자. 목적지에 최대한 빨리 가려고 급하게 서두르진 않는가? 동승자가 멀미를 호소하지는 않는가? 둘 중 하나라도 해당한다면 급감속과 급가속을 줄이는 것을 의식하며 운전하는 습관을 키워보자. 안전함과 멀미 예방, 두 가지 토끼를 모두 잡을 수 있을 것이다.

멀미에 자주 시달린다면

- 우리가 차를 타고 있을 때 귀의 평형감각은 균형을 잡으라는 신호를 계속 보내지만, 시각과 발바닥 감각은 차의 움직임을 덜 느낀다. 이러한 감각의 불일치가 뇌에 혼란을 주고 멀미가 생기게 된다.

- 멀미를 방지하는 귀의 전정기관은 세 개의 반고리관과 전정(안뜰, vestibule)으로 구성되어 있으며, 몸의 움직임에 따라 전정 내부의 림프액과 이석이 움직이며 상하좌우의 움직임을 감지하게 된다.

- 멀미는 상하운동이 많은 배 같은 교통수단에서 심해진다. 이는 사람이 직립보행을 하기에 전후좌우 움직임에는 쉽게 적응하지만, 상하움직임에는 익숙하지 않기 때문이다.

- 일상에서 멀미를 막으려면 멀미약을 먹는 것이 가장 편한 방법이지만, 영유아나 운전자, 임산부에게는 시야를 멀리두어 풍경을 바라보는 방법을 추천한다. 또한 운전자가 급가속이나 급감속을 줄여주는 것도 동승자의 멀미 예방에 도움이 된다.

머리에 나는 털

머리카락이 빨리 자라는 이유

우리 몸에 털이 자라는 신체 부위가 여러 곳 있지만 가장 먼저 눈에 띄며 사람들의 관심을 끄는 것은 머리털(머리카락)일 것이다. 다른 부위에서 자라는 털들은 잘라주지 않더라도 일정한 길이를 유지하는 반면, 머리카락은 계속 자라서 일정한 시기가 되면 미용을 위해 잘라줘야 한다. 왜 이런 차이가 생기는 걸까? 털의 성장 기간의 차이 때문이다. 눈썹이나 피부의 털은 성장 속도가 느리고 성장 기간도 짧아 1개월 내지 길어야 3~4개월 정도로 짧다. 반면 머리카락의 경우는 1개월에 약 1센티미터 정도 자라고 2~6년의 성장기를 포함한 수명을 가지고 있기에 손질에 조금만 소홀해져도 금방 더벅머리가 되고 만다. 머리카락의 모양과 상태는 사람의 첫인상을 좌우하기에 우리는 매우 많은 시간과 노력, 돈까지 들이며 머리에 공을 들인다.

인류 미용의 역사는 아주 오래되었다. 머리카락을 손질하는 '이발사'라는 직업은 기원전 1700년대 고대 함무라비 법전에도 등장한다. 중세 유럽에서는 이발사가 외과 의사를 겸하기도 했다. 지금은 찾아보기 어려워졌지만, 한때 이발소의 상징처럼 돌아가던 빨강, 파랑, 흰색의 삼색 막대등은 각각 동맥과 정맥, 붕대의 색깔을 상징하며 기둥은 환자가 치료의 고통을 견디기 위해 잡는 막대기를 뜻하는 것으로 이발소가 환자들의 상처를 치료하던 곳임을 짐작하게 한다. 이러한 사실만 보아도 이발사들이 외과학을 발전시키는 데 기여한 사실은 부정할 수 없으며, 머리카락을 자르는 것도 신체의 일부인 만큼 중요하다.

이발소 상징, 삼색봉

탈모는 왜 생기며, 어떻게 진행되는 것일까?

털은 피부의 표피에서 유래한 각질화된 구조물이다. 손바닥,

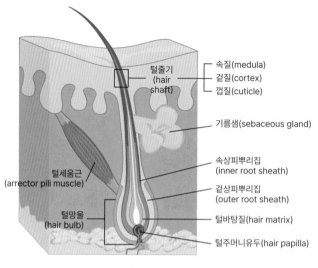

속질(medula)
겉질(cortex)
껍질(cuticle)

털줄기
(hair
shaft)

기름샘(sebaceous gland)

속상피뿌리집
(inner root sheath)

겉상피뿌리집
(outer root sheath)

털세움근
(arrector pili muscle)

털바탕질(hair matrix)

털망울
(hair bulb)

털주머니유두(hair papilla)

피부속 털의 구조

발바닥, 입술, 음경 귀두, 음핵 등을 제외하고 모든 피부에 아주 적게나마 존재한다. 얼굴에는 세제곱센티미터 당 600개의 털이 있다. 털은 털주머니에서 형성되고, 피부 표피층과 연결되어 있으며, 겉질과 속질, 껍질층으로 나누어져 있다. 털 주위에는 털세움근이 있는데, 추울 때 이 근육이 수축하여 피부 근처의 따뜻한 공기를 잡아두어 체온을 유지하는 기능을 한다. 털 주변에 있는 기름샘은 피부기름(sebum)을 만들어 털이 건조해지지 않고 윤기가 나도록 한다. 털 중에서 모발은 6~7년 이상 자라는데, 탈모가 진행되는 환자에게는 일부 모발에서 자라나는 기간이 짧아지게 된다. 즉, 머리카락이 안 자라는 것이 아니라, 1센티미터 정도만 자라고 빠지는 것이다. 한두 달만 자라면 빠지는 머리카락이 많아지면 눈으로도 탈모 증상을 알게 된다.

　탈모의 원인을 알아보려면 머리카락, 즉 모발이 자라는 과정에 대해 알아야 한다. 머리카락은 모낭에서 나오는데 영양분을 공급할 수 있도록 혈관으로 감싸져 있다. 모낭의 뿌리인 모구에는 모유두가 있으며 이것에 의해 머리카락의 성장이 조절된다. 머리카락은 5~6년 동안 자라는 성장기를 거쳐 2~3주 정도 성장을 멈추는 퇴행기를 가지면서 성장이 더뎌지며 그 길이와 형태를 유지한다. 이후 머리를 빗거나 감을 때에도 쉽게 빠지는 휴지기가 찾아온다. 사람의 머리에는 약 10만 개 정도의 머리카락이 있고 약 50~100개 정도가 매일 빠지고 자라는 과정을 반복한다. 머리카락이 빠진다고 해서 모두 탈모라 부르지 않는 이유가 바로 여기에 있다. 머리카락의 성장 기간이 짧아지고 가늘어지면 탈모가 진행되는데 정상범위보다 머리카락

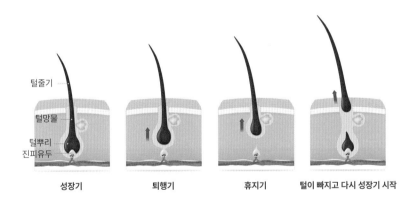

머리카락이 성장하고 빠지는 과정

이 많이 빠질 때, 대략 하루 100개 이상의 머리카락이 빠지면 탈모를 의심해야 한다.

탈모는 원인과 유형에 따라 유전적 탈모, 휴지기 탈모, 원형 탈모 등 크게 세 가지로 구분한다. 유전적 탈모는 안드로겐(androgen) 호르몬의 영향으로 발생하며 여성보다는 남성에게서 많이 볼 수 있는데 우리가 흔히 알고 있는 M자형, O자형으로 나타나는 남성형 탈모가 여기에 속한다. 다음으로는 머리에 동전 크기의 구멍이 생기는 원형 탈모증이 있다. 탈모 부위가 점점 커지거나 여러 개로 늘어나기도 하며 심할 경우 두피 전체의 모발이 빠지는 전두탈모로 진행한다. 세 번째는 휴지기 탈모증인데 출산, 과도한 스트레스, 다이어트 등으로 인한 일시적 요인으로 생기는 탈모로 원인이 사라지면 자연히 좋아진다. 탈모라고 하면 보통 남성을 떠 올리지만 여성들도 고통을 받는 경우가 적지 않아 더 이상 남의 얘기가 아니다. 전체 탈모환자의 약 40퍼센트가 20~30대 젊은 층으로, 스트레스가 가장 큰 원인으로 손꼽힌다. 스트레스로 발생하는 코르티솔이라는 호르몬이 모근의 성장을 막아 탈모를 유발하기 때문이다. 이 외에도 미세먼지나 잦은 염색이 원인이라는 분석도 있다.

하지만 가장 문제가 되는 탈모는 역시 유전과 남성 호르몬에 의해 발생하는 남성형 탈모인데 유전성 탈모이기에 완치가 어렵다. 남성형 탈모를 유발하는 원인 중 하나는 강력한 남성 호르몬인 DHT다. 테스토스테론이라는 남성 호르몬이 두피에서 5-알파 환원효소와 반응하여 강력한 남성 호르몬인 디하이드로 데스토스테론(DHT)라는 물질로 바뀌는데 DHT는 모발의 뿌리인 모낭에 작용해 모발의 성장을 억제한다. 이로 인해 모발의 굵기가 점차 가늘어지고 힘이 없어지다가 결국 탈모가 발생한다. DHT 수치가 높다고 모두 남성형 탈모가 생기는 것은 아니다. DHT 수치가 높은 사람들 중 DHT와 모낭세포의 결합을 유도하여 탈모를 유발하는 유전자를 가진 사람들의 경우 남성형 탈모가 일어난다. 탈모가 많은 집안은 아마도 이 유전자를 물려받았을 확률이 높다. 남성형 탈모의 특징적 유형이 있는데 DHT 호르몬에 민감한 이마와 정수리의 머리카락이 빠지고 DHT 호르몬에 덜 민감한 옆머리와 뒷머리는 빠지지 않고 그대로 남게 되어 M자형, O자형 탈모가 생기게 되는 것이다.

탈모 치료는 가능할까?

남성형 탈모 치료는 어떻게 접근해야 할까? 남성형 탈모라는 이름에 답이 있는 것 같다. 여성의 경우 남성 호르몬인 테스토스테론이 남성의 6분의 1 수준이기 때문에 DHT가 적게 생성되어 남자보다 남성형 탈모의 위험이 매우 적다. 그렇다면 남성도 여성처럼 남성 호르몬인 테스토스테론을 억제하는 것이 답이 될 수 있겠다. 실제 외부생식기를 제거한 조선시대 내관의 경우 '대마리'가 없다는 공공연한 속설처럼 말이다. 그러나 실제 이런 무모한 행동을 할 사람은 없을 것이다. 빈대 잡으려고 초가삼간을 태우는 격이니 말이다. 해답은 남성 호르몬인 테스토스테론이 디하이드로 데스토스테론(DHT)으로 바뀌는 과정을 억제하는 약물치료이다. 현재 많이 사용되고 있는 '피나스테라이드(프로페시아)'는 테스토스테론이 탈모의 주원인인 DHT 호르몬으로 전환되는 것을 막음으로써 점차 모낭을 정상화하고 발모를 도와 탈모를 방지한다. 또 다른 치료법으로는 '미녹시딜'이라는 혈관 확장제이다. 이 약은 원래 혈관 확장을 통해 고혈압을 치료하는 고혈압 치료제로 개발되었지만, 예상치 못한 부작용이 하나 있었다. 바로 혈관 확장된 부위에 털이 과도하게 자라는 다모증이 나타난 것이었다. 탈모를 연구하던 치료자들은 이 약물의 부작용인 다모증이 탈모를 치료할 수도 있지 않을까 생각에서 개발되어 출시된 것이 현재의 바르는 탈모치

프랑스의 축구선수, 지네딘 지단
(출처: Bleacher Report)

료제 미녹시딜이다. 미녹시딜을 바르면 두피의 혈관 확장이 촉진되고 모발의 성장 기간이 길어져 건강한 머리카락이 자라게 된다.

최근 미디어에서 '천만 탈모인의 시대', '머리빨' 등의 이야기를 자주 접하곤 한다. 헤어 스타일이 자신을 표현하는 수단이며 자신감이라는 정서적인 문제로까지 확대됨에 따라 머리카락은 점점 더 소중해지고 있다. 머리숱이 많다고 무조건 멋진 것은 아니다. 대머리가 더 잘 어울리는 사람도 있다. 프랑스 축구선수 지네딘 지단의 경우 대머리가 카리스마의 상징처럼 느껴진다는 긍정적인 평가가 주를 이룬다.

탈모는 당사자에게는 커다란 고민이다. 발모에 좋다는 약물 치료는 물론 민간요법까지 동원하고 급기야는 가발이라는 패션용품까지 등장했지만, 탈모 문제가 해결되지 않아 '모발 이식'이라는 외과적 수술 방법까지 동원하고 있다. 평소 탈모에 대해 걱정했다면 지금부터라도 모발 건강에 관심을 가져 보자. 이미 빠져 버린 머리카락을 되돌릴 순 없을지라도 건강한 생활 습관을 유지하는 것은 탈모 증상을 예방하고 완화하는 데 도움이 된다. 정신적인 스트레스를 줄이고 수면을 충분히 취할 것, 당이나 지방 함량이 많은 가공식품 섭취 줄일 것, 술 담배를 하지 않을 것, 단백질을 충분히 섭취할 것 등이 바로 그것이다. 늦었다고 생각하는 지금이 가장 빠른 때이다. 오늘부터 건강한 생활 습관을 실천해 탈모를 예방하자.

머리에 나는 털

- 머리카락은 다른 털들에 비해 빨리 자라기 때문에 자주 손질해 주어야 한다. 이렇게 이발을 전문으로 하는 이발사는 과거에 외과의사를 겸하기도 하며 외과의 발전에 기여하기도 하였다.

- 사람마다 다르지만 대략 하루 100개 이상의 머리카락이 빠지면 탈모를 의심해야 한다. 이러한 탈모 중에서 가장 문제가 되는 탈모는 남성형 탈모인데 강력한 남성 호르몬인 다이하이드로테스토스테론 (dihydrotestosterone, DHT)가 모발 성장을 억제하여 M자형, O자형 탈모가 생긴다.

- 탈모치료로 미녹시딜이라는 약을 쓰거나 모발 이식등의 치료 방법이 있지만, 스트레스를 줄이고 수면을 충분히 취하는 등 건강한 생활습관을 유지하는 것도 탈모 증상을 예방하고 완화하는데 도움이 된다.

잃어버린 털을 찾아서

인류가 털을 잃어버린 이유

현대인에게 털은 양면적인 존재다. 머리에 난 모발을 비롯해 콧수염이나 턱수염, 눈썹 등의 털은 다양하게 개성을 뽐낼 수 있는 소중한 털이라고 할 수 있다. 하지만, 그에 반해 삐죽하게 튀어나온 코털, 듬성듬성 보이는 수염, 반바지를 입을 때 보이는 무성한 다리털, 그리고 빼놓을 수 없는 겨드랑이털까지, 남에게 보이기 싫어 매번 정리하고 깎아내는 털들도 무수히 많다. 왜 이 털은 좋고, 저 털은 싫을까? 어떤 특정 부분에만 집중적으로 털이 나 있다는 사실이 이상하지 않은가? 어쩌다 우리 인류는 이런 식으로 털이 나는 몸을 갖게 되었을까?

지구상에 있는 다른 포유류와 달리 인류의 몸에 난 털은 조금 특이하다. 머리와 겨드랑이, 사타구니 등의 특정 부위에만 집중적으로 굵고 긴 털이 나 있고 나머지 부분에는 아예 없거나 이런 털은 무슨 이유로 나 있는 건가 싶을 정도로 가늘고 짧은 털이 있을 뿐이다. 우리 인류가 털을 잃어버린 이유에 대해 많은 가설이 있는데, 그중에서 몇 가지 살펴보자.

우선 주장하기는 쉬우나 과학적으로 입증하기는 어려운 다윈의 '성 선택 가설'이다. 신체에 털이 적은 것이 이성에게 더 매력적인 요소로 작용하여 번식 경쟁에서 선택받는 과정이 오랜 세월 계속되면서 털이 점점 사라졌다는 내용이다. 그러나 '털이 적은 것이 더 매력적이다'라는 점이 근현대의 주관적인 외모관이 반영된 결과라면 논리적인 설득력이 있다고 보기는 어려운 듯하다. 조금 더 논리성을 갖추려면 털이 많은 남성과 적은 남성의 번식 적합도(결혼하는 비율이 얼마나 높은지, 결혼해서 낳는 자식의 수는 얼마나 많은지 등)를 비교하고 털이 많은 남성이라도 수염이 많은 남성, 머리카락이 풍성한 남성 등 신체 부위별로도 어떻게 차이가 나는지 구체적인 대규모 연구가 필요해 보인다.

두 번째는 의복을 널리 입게 된 이후로 단열 역할을 하던 털이 그 가치를 잃어버려서 사라지기 시작했다는 가설이다. 얼핏 그럴듯하다고 생각된다. 다만, 이를 과학적으로 입증하려면 인류의 털이 사라지기 시작한 시기는 언제인지, 인류가 의복을 입게 된 것은 언제쯤인지를 추정하고 선후관계를 밝혀야 할 것이다. 이 시기는 어떻게 알아낼 수 있을까? 과학자들은 아주 참신한 아이디어를 이용했다. 털이 충분하다면 피부에 닿는 햇빛도 잘 가려지지만, 털이 사라지면 그대로 강력한 자외선에 노출된다. 따라서 아프리카에 살았던 인류의 선조가 자외선에 내성을 갖는 방향으로 피부의 멜라닌 색소 유전자에 변이가 일어난 시기를 알아낸다면 털이 사라진 시점을 추정할 수 있을 것이다. 이것은 약 120만 년 전이라는 사실이 밝혀졌다. 털이 사라진 것도 그 근방의 일이라고 예측할 수 있다.

인류가 옷을 입기 시작한 시기는 어떻게 알 수 있을까? 이번에도 과학자들은 신기한 생각을 했다. 인류와 생활사를 오랫동안 함께해 왔던 기생충 '이'가 의복에 대한 정보를 줄 수 있다고 생각한 것이다. 이는 머릿니와 몸니로 나뉘며 이 중 몸

니는 머릿니의 변종으로서 둘은 서로의 활동 영역이 엄격하게 구분된다. 머릿니는 반드시 사람 머리에서, 그리고 몸니는 사람의 옷에 붙어서 살아간다. 만약 인위적으로 머릿니를 사람의 몸에 옮기면 스스로 다시 머리로 올라가며, 반대로 몸니를 사람의 머리에 놓으면 몸 부근으로 내려간다고 한다. 그렇다면, 머릿니로부터 몸니라는 유전적 변이가 발생한 시점이 곧 사람이 옷을 입기 시작한 때의 시기와 비슷하지 않을까? 이의 유전자를 분석해 본 결과 해당 돌연변이가 발생한 것은 약 17만 년 전이라고 한다.

머릿니(P. humanus capitis)와
몸니(P. humanus humanus)

또 다른 방법도 있다. 인류가 최초로 입기 시작한 옷은 섬세한 바느질로 만든 옷보다는 날것의 상태로 편하게 걸칠 수 있는 동물의 가죽으로 만든 옷이었을 것이다. 그러나 가죽을 별다른 가공 없이 그대로 뒤집어쓰게 되면 얼마 안 가서 부패해 고약한 냄새를 풍겨 벌레가 꼬이는 등 생존에 불리하게 작용했을 것이다. 가죽을 썩지 않게 만들어 제대로 의복으로 이용하려면 가죽에 남아 있는 단백질이나 지방, 염분, 털 등을 제거하는 '무두질'을 해야 한다. 무두질과 관련된 도구가 등장한 것으로 추정되는 시기는 약 30만 년 전이며, 이 시기로부터 인류가 가죽옷을 널리 입기 시작한 때를 짐작할 수 있다.

의대생들의 수다

인류가 의복을 입기 시작한 때에 대한 추측은 분분하지만, 어느 쪽이든 인간의 피부 멜라닌 색소 유전자에 변이가 나타난 120만 년 전이라는 시점과는 차이가 크다. 옷을 입기 시작한 것보다 털이 사라진 것이 먼저라는 것을 시사하는 부분이다. 옷을 입어서 털이 사라진 것이 아니라면, 도대체 다른 포유류와 인류가 어떤 점에서 달랐기에 인류만 털을 잃어버리게 된 것일까?

마지막 세 번째는 인류가 시원하고 울창한 숲이 우거진 지역에서 덥고 건조한 사바나 지역으로 이동하면서 체온 조절을 위해 털을 버렸다는 가설이다. 털은 사라졌지만 유인원과 비슷한 밀도로 우리 피부에는 여전히 모낭이 존재한다. 특히 몸을 식히기 위한 땀을 분비하는 땀샘의 일종인 에크린샘의 경우 인간이 침팬지에 비해 10배 이상의 밀도로 피부에 분포한다는 사실은 이 가설을 잘 뒷받침해 준다. 더위를 극복할 수 있는 능력은 인체에서 가장 많은 에너지를 소모하며 열을 발생시키는 두뇌 활동의 효율을 증가시켜 인류가 다른 유인원들과 다른 방향으로 진화하는 데 도움을 줬을 것으로 생각된다.

털을 줄게, 표정 다오

머리와 사타구니 부근에만 선택적으로 굵고 빽빽하게 나 있는 털은 각각 뜨거운 햇빛으로부터 두피를 가려 주고, 이성에게 작용하는 페로몬이 오랫동안 유지될 수 있는 역할을 해 주었다. 그 외의 신체 부위에 나 있는 털들은 사라지면서 털에 붙어 살던 이나 기생충으로부터 벗어나는 데 도움이 되었다.

여기에 더해 흥미로운 진화적 이점이 제시되었는데, 털이 사라짐으로써 인간 개체 사이의 감정적 소통에 큰 향상이 있었다는 것이다. 사람은 언어를 사용하지 않아도 표정이나 얼굴의 색조 변화를 통해 상대의 감정 상태를 어느 정도 유추할 수 있다. 이것은 다른 동물들과 다르게 얼굴에 털이 거의 없이 피부가 그대로 노출되어 있어 가능한 일이다. 이런 의미에서 털 없이 서로 얼굴을 맞이하고 있다면, 앞에 있는 사람에게 웃는 표정을 지어 보는 것이 어떨까.

잃어버린 털을 찾아서

- 인간의 털은 머리, 겨드랑이, 사타구니 등 특정 부위에 집중되어 있다.
- 머리와 사타구니 부근에만 선택적으로 굵고 빽빽하게 나있는 털은 각각 뜨거운 햇빛으로부터 두피를 가려 주고, 이성에게 작용하는 페로몬이 오랫동안 유지될 수 있는 역할을 해준다.
- 인류가 털을 잃게 된 이유로 성선택설, 의복에 따른 불필요성, 체온 조절의 필요성을 들 수 있다. 또한 털이 사라짐으로써 인간 개체 사이의 감정적 소통에 큰 향상이 있었다는 이야기도 있다.

인류의 진화

네안데르탈인과 호모 사피엔스

털에 대한 이야기를 하다보니 진화에 대한 이야기를 하지 않을 수 없다. 어릴 때 놀이공원에 가면 가장 좋아했던 곳이 동물원이었다. 텔레비전에서나 보던 사자나 호랑이, 코끼리, 기린, 곰 등의 갖가지 동물들을 코앞에서 구경하는 일은 환상의 세계 그 자체였다. 어른이 된 지금도 종종 그때의 추억을 되새기며 동물원에 가곤 하는데, 동물들을 볼 때마다 문득 이런 생각이 든다. 동물들은 개와 코요테, 말과 당나귀 등 모습만 살짝 다르고 그 밖에는 서로 비슷한 형제뻘 동물들이 있는데 우리 인간은 가장 가깝다고 하는 동물이라고 해봐야 침팬지, 오랑우탄 등뿐이다. 실제로, 개나 말의 형제뻘 동물들은 같은 '속'에 속하는 다른 종들로 매우 밀접한 관계이지만 사람과 침팬지는 같은 '사람과'에 속할 뿐이고 '사람속'에 속하는 종은 현생 인류 '호모 사피엔스' 단일 종만 남아 있다. 당연하게도 과거엔 '호모 하빌리스', '호모 에렉투스' 등 사람속에 속하는 다른 현생 인류의 근연종들이 많이 있었으나 여러 차례의 빙하기와 혹독한 자연환경 변화의 시련 속에서 호모 사피엔스, 호모 네안데르탈렌시스, 그리고 호모 데니소반스 세 종이 가장 최근까지 살아남았다.

유전자 분석을 통해 복원한
네안데르탈인 상상도
(출처: Smithsonian national museum of
natural history)

유전자 분석을 통해 복원한
데니소바인 상상도
(출처: PLOS Biology, 2004)

네안데르탈인의 경우 유럽에서부터 알타이산맥, 팔레스타인 등지에 호모 사피엔스보다 먼저 자리를 잡아 살아가고 있었다. 이들은 후일 아프리카에서 건너온 현생 인류 호모 사피엔스와 직접적인 생존 경쟁을 벌이게 된다. 네안데르탈인의 화석은 1856년 프로이센의 네안더 계곡에서 처음 발견되었고, 그 계곡의 이름을 따서 해당 인종의 명칭이 '네안데르탈인'이라고 지어졌다. 당시 과학자들에게 인종 간 우열이 당연시되고 이를 입증하기 위해 노력하는 것이 지상 과제였는데, 이런 맥락에서 네안데르탈인은 유럽인보다는 황인이나 흑인과 비슷하게 생긴 '열등한 유사 인류'라고 알려졌다.

화석을 바탕으로 Elisabeth Daynes이 조각한
라샤펠의 노인(Vienna Natural History Museum 소장)

네안데르탈인에 대한 인식이 크게 바뀌게 된 계기는 1908년 프랑스의 라샤펠 오생에서 발견된 일명 '라샤펠의 노인'이라고 불리는 화석의 발굴이었다. 분석 결과, 이 화석의 주인공은 치아가 다 빠지고 등이 굽었으며 뼈 곳곳에 관절염과 골절

흔적이 가득한 병약한 노인이었다. 늙고 병든 노인 화석이 발견되었다는 사실이 시사하는 바는 아주 크다. 노인이 될 때까지 생존하려면, 필연적으로 무리생활을 하는 다른 젊은 개체들의 적극적인 도움과 배려가 요구되기 때문이다. 이렇게 무리 내에서 노인을 기꺼이 존중하고 보호하는 문화가 있었다는 것은 고도의 지능을 가지고 있다는 방증이 된다.

호모 사피엔스가 생존 경쟁에서 이길 수 있었던 이유

네안데르탈인은 체격이나 근력 등 외적인 부분에서 호모 사피엔스보다 우월했으며 불을 사용할 줄 알았고, 벽화를 그렸으며 독자적인 장례 문화도 있었다고 추정된다. 호모 사피엔스와 비교할 때 종합적으로 결코 뒤지는 부분이 없었던 네안데르탈인이 생존 경쟁에서 밀려난 이유는 무엇일까? 네안데르탈인은 일찍이 유라시아 지역에 진출해 살아가고 있었고, 현생 인류는 아프리카 대륙에 있다가 더 나은 기후 조건을 찾아 유라시아로 이주했다. 같은 인류로서 많은 특징을 공유하던 네안데르탈인과 현생 인류는 필연적으로 맞부딪칠 수밖에 없었다. 네안데르탈인이 어떤 과정을 거치며 경쟁에서 패배했는지, 호모 사피엔스가 어떻게 승리했는지 구체적으로 밝혀지진 않았지만, 이에

**6만 4,000년 전 만들어진 네안데르탈인의 작품으로 추정되는
스페인에서 발견된 동굴 벽화**

대해 여러 가지 가설들이 존재한다.

호모 사피엔스는 네안데르탈인에 비해 체격이 불리했고, 전체적인 두뇌 용적도 작았다. 그럼에도 전두엽과 두정엽, 소뇌 부위는 네안데르탈인보다 훨씬 크고 발달해 있었다. 이런 두뇌 발달 수준의 차이는 호모 사피엔스에게 정교한 미세 동작, 우월한 의사소통 능력과 사회성, 협력 능력이 있었다는 것을 알려준다. 네안데르탈인은 가족 단위 집단으로 살아갔으나, 호모 사피엔스는 수백 명 이상이 함께 살아가는 큰 집단 내에서 협력하며 생활할 수 있었다.

또한 수시로 찾아왔던 기후 변화와 빙하기 등 극한의 환경 속에서 네안데르탈인의 더 큰 체격은 오히려 생존을 위해 더

네안데르탈인(위)과 호모 사피엔스(아래)

많은 에너지가 필요한 단점으로 작용했다. 게다가 네안데르탈인은 육식동물들과 비슷한 식성을 지녀 주로 사슴, 순록, 말 등 대형 포유류를 주 먹잇감으로 삼았기에 먹이를 얻는 과정에 경쟁 요소가 많았다. 반면, 호모 사피엔스는 소형 동물과 연체동물, 해산물 등 다양한 종류의 먹잇감을 골고루 섭취했다. 환경 변화에 맞추어 다양한 식이를 시도했던 융통성과 높은 에너지 효율성이 생존에 도움을 주었을 것이다.

네안데르탈인과 호모 사피엔스의 생존 경쟁에 흥미로운 가설이 하나 더 있다. 네안데르탈인의 눈에 흰자위가 없었을지도 모르며, 이것이 결정적으로 요소일 수 있다는 것이다. 인간은 다른 동물들과 달리 흰색의 공막을 가졌으며, 눈동자와 흰자위가 명확하게 구분된다. 동물들의 경우 눈 전체가 거의 같은 색으로 보인다. 외부에서 볼 때 어느 곳을 응시하고 있는지, 어떤 감정 상태인지를 알아차리기 어려워 먹잇감을 사냥할 때 도움이 된다.

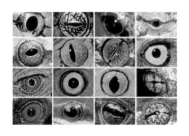

다른 동물들과 비교할 때 확연히 구분되는 사람의 흰자와 눈동자
(출처: 중앙일보, 2016)

인간은 다른 동물들과 달리 사전에 약속된 시선의 움직임을 통해 사냥에 협력하는 전략을 택했고, 흰색의 공막은 이 전략에 큰 도움이 되었다. 이것은 사람과 사람 사이의 협력뿐 아니라 다른 포유류, 늑대와 의사소통하는 데에도 더욱 유리하게 작용했을 것이다. 이 가설과 관련해 의미심장한 사실은 네안데르탈인이 늑대를 길들였다는 증거가 발견되지 않았다는 점이다. 인간이 늑대를 길들여 개를 기르기 시작했다고 추정되는 2만 8000년~4만 년 전의 시기는 네안데르탈인이 자취를 감추기 시작한 시기와 서로 겹친다. 현생 인류는 먹잇감이 겹치는 다른 포유류를 죽여 없애는 것이 아니라 동맹을 맺음으로써 경쟁자를 제거하는 동시에 더욱 우월한 사냥 능력을 획득할 수 있었다.

생존 경쟁에서 패배한 네안데르탈인은 지구상에서 완전히 사라졌지만, 게놈 분석 기술의 발전에 힘입어 2006년 시작된 독일 막스 플랑크 협회의 '네안데르탈인 유전체 프로젝트' 연구 결과에 따르면 현생 인류의 DNA 중 1~4퍼센트가 네안데르탈인에게서 유래했다는 사실이 밝혀졌다. 소수의 네안데르탈인이 호모 사피엔스 공동체에 흡수되었다고 생각할 수 있는 지점이다. 우리 인류는 오랫동안 경쟁을 거치며 진화해 왔다. 하지만 현대 사회는 과도한 경쟁으로 육체적, 정신적으로 과도하게 에너지가 소모되어 오히려 후퇴하고 있는 것은 아닐까? 현재 우위를 점하고 있다고 해서 반드시 진화에 유리한 것은 아니다. 네안데르탈인과 호모 사피엔스의 생존 경쟁을 곱씹게 되는 이유다.

인류의 진화

- '사람속'에는 호모 사피엔스, 호모 네안데르탈렌시스, 그리고 호모 데니소반스 세 종이 비교적 최근까지 살아남았고, 현재에는 호모 사피엔스 단일 종만 남아 있다.

- 네안데르탈인은 유럽과 알타이산맥, 팔레스타인 등지에서 호모 사피엔스보다 먼저 자리를 잡고 생존 경쟁을 벌였다.

- 늙고 병든 노인 화석의 발견은 네안데르탈인에게 노인을 존중하고 보호하는 문화가 있었다는 것을 보여주며, 나아가 이들이 고도의 지능을 가졌었다는 증거로 해석된다.

- 호모 사피엔스 협력능력, 다양한 식이, 에너지 효율성 등에서 네안데르탈인보다 앞섰고, 이것들이 호모 사피엔스가 생존경쟁에서 이유로 추측된다.

- 현생 인류의 DNA 중 1~4퍼센트가 네안데르탈인 유래임이 밝혀졌다. 소수의 네안데르탈인이 호모 사피엔스 공동체에 흡수되었다고 생각할 수 있는 지점이다.

다윈의 진화론

과학에 별 관심이 없는 사람도 진화에 대해 생각하면 찰스 다윈의 '진화론'이 생각날 것이다. 우리 인간은 먼 과거에도 현생 인류의 모습이었던 것이 아니라 원숭이, 침팬지와 같은 동물들과 같은 조상을 공유하고 있다든가, 더 길쭉한 목을 지닌 개체가 더욱 생존에 유리했고 이 특성이 세대를 거듭하여 선택되는 과정에서 기린의 목이 길쭉해졌다는 식으로 진화론은 대중에게 제법 친숙하게 알려진 이론이다. 인간뿐 아니라 지구상에 존재하는 모든 생명체에게 모두 공통으로 적용되는 하나의 원리이다. 영국의 진화생물학자 리처드 도킨스가 《이기적 유전자》에서 다뤘듯 우리의 사소한 행동 양식 하나하나를 설명할 수 있다는 점에서 다윈의 진화론은 매우 흥미롭다.

다윈이 1858년 영국 린네 학회(Linnean Society)에서 앨프리드 러셀 월리스(Alfred Russel Wallace)와 함께 발표한 논문에서 제시했던 '진화가 일어나기 위한 조건 4가지'를 통해 진화론의 핵심 내용을 간략히 정리하면 다음과 같다.

1 한 종에 속하는 개체들은 각자 다른 형태, 생리, 행동 등을 보인다. 즉 자연계의 생물 개체들 사이에 변이가 존재한다.
2 일반적으로 자손은 부모를 닮는다. 즉, 어떤 변이는 유전한다.
3 환경이 뒷받침할 수 있는 이상으로 많은 개체가 탄생하기에 먹이 등 한정된 자원을 놓고 경쟁할 수밖에 없다.
4 주어진 환경에 적응하도록 도와주는 형질을 지닌 개체가 더 많이 살아남고 더 많은 자손을 남긴다.

차라리 원숭이의 손자가 되겠소

하나님이 자신을 닮은 완벽한 모습으로 인간을 창조했다는 기독교적인 세계관이 지배하던 당대의 분위기를 생각할 때, 다윈이 진화론을 세상에 발표할 때 얼마나 많은 용기가 필요했을지 짐작조차 가지 않는다. 다윈의 진화론을 경멸했던 옥스포드의

의대생들의 수다

성공회 주교 사무엘 윌버포스(Samuel Wilberforce)와 다윈을 지지했던 생물학자 토머스 헉슬리(Thomas H. Huxley)의 다음 논쟁은 그 살벌했던 분위기를 잘 보여 준다.

사무엘 윌버포스

다윈의 말에 따르면 원숭이가 우리 조상이라고 하던데,
그렇다면 당신 할아버지와 할머니 중
누가 더 원숭이에 가깝소?

토머스 헉슬리

나는 본인의 지식과 말솜씨를 중요한 과학적 토론의 조롱에
이용하는 인간의 친척이 되느니, 차라리 원숭이의 손자가
되는 것을 택하겠소!

진화론이 일반적인 상식으로 받아들여지기까지 많은 진통이 있었지만 결국 주류 이론으로서 널리 통용되게 되었다. 이후 수많은 과학 이론이 그렇듯 진화론에 대해서도 당대 과학자들과 철학자들은 어떻게 현실에 응용할 수 있을지 고민했다.

그리고 이 과정에서 진화론은 '근대적 형태의 우생학'의 이론적 토대를 제공하며 서구 제국주의 열강의 타민족 식민 지배를 정당화하는 도구로 이용되었다.

우생학 나무. 1921년 미국 뉴욕 자연사박물관(Museum of Natural History)에서 열린 Second International Congress of Eugenics 홍보 포스터

우생학의 탄생과 한계

우생학이란 인간의 유전 형질을 인위적으로 선택하고 개량해 더 나은 종으로 발전시키고 나아가 우수한 인간 사회를 건설할 수 있다는 믿음이다. 이런 방식의 사고의 시초는 고대 그리스 시대로까지 거슬러 올라간다. 고대 그리스 시대 철학자 플라톤은 천부적인 능력과 재능을 갖춘 최상류층 남녀의 선택적인 결혼을 법률화할 것을 주장했고, 아리스토텔레스는 하층계급의 과잉 인구가 도시 내부 빈곤과 범죄를 양산한다면서 하층계급에 대한 산아제한을 주장하기도 했다.

19세기 중엽 진화론이 세상에 모습을 드러내면서 이것에 영향을 받은 다윈의 사촌 프랜시스 골턴(Francis Galton)은 '하나의 체계를 가진 이론'으로써 우생학을 발전시켰다. 골턴은 1859년 《종의 기원》을 읽은 뒤 인간의 재능과 지성은 유전되는 형질이

프랜시스 골턴

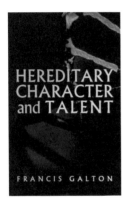

<Hereditary Character and Talent>, 프랜시스 골턴이 1865년 출판하여 처음으로 우생학적 사상을 개진한 논문

라고 결론지었고, 타고난 개인의 본성은 후천적인 양육 과정보다 우선하며 한 인간의 특성을 결정한다고 믿었다. 그는 1865년 〈Hereditary Character and Talent〉라는 제목의 논문을 출판했는데, 여기에서 처음으로 우생학적 전망을 제시하며 적극적인 정책적 수단을 활용해 인간의 열등한 유전 형질의 확산을 억제하고 우수한 계층의 비율을 확대해 인간 진화의 방향을 인위적으로 통제하고 개선할 수 있다고 주장했다. 이후 〈Inquiries into Human Faculty and Its Development, 1883〉라는 논문을 출간하며 처음으로 우생학이라는 용어를 사용했다. 그는 우생학을 '바람직한 혈통이 덜 바람직한 혈통에 비해, 더 신속하게 퍼져나갈 수 있도록 도모하는 과학'이라고 정의하며 다양한 방법론을 활용해 이것을 입증하기 위해 노력했고 단순한 과학적 담론을 넘어 구체적으로 어떤 정책들을 실천해야 하는지까지 제안했다.

근대적 의미로서의 우생학적 사고방식은 인종 간 관계에도 적용되어 인종 사이의 위계를 정당화하는 데 쓰였다. '인종 사이에 문명화 능력의 차이가 존재하며 이 단계는 백인종이 가장 높고 흑인은 그보다 두 단계 이상 낮다', '서로 다른 인종 간 혼혈이 발생하면 점차 그 인종의 능력이 퇴화한다'라는 식의 생각은 당대 우생학자들이 일반적으로 공유하던 것이었다.

현대 사회에서 인종 차별은 이전에 비해 급격하게 줄었다고 한다. 하지만 우리 또한 자신도 모르게 다른 나라 사람이나 다른 인종을 비하하거나 차별을 하는 경우가 있다. 인체의 신비함을 제대로 느낀다면 인종과 상관없이 생명과 사람 한 명 한 명이 모두 소중하고 아름답기에 차별을 할 수 없을 것이다.

의대생들의 요약

진화론과 우생학

- 진화론이 일반적인 상식으로 받아들여지기까지 많은 진통이 있었지만 결국 주류 이론으로서 널리 통용되게 되었다.
- 한편 진화론은 '근대적 형태의 우생학'의 이론적 토대를 제공하고, 서구 제국주의 열강의 타민족 식민 지배를 정당화하는 도구로 사용되기도 했다.

의대생들의 수다

초판 1쇄	2025년 2월 17일
지은이	이재호, 문혁준, 안준형, 이정현, 이준채
발행인	유성권
편집장	이재선
기획	유지인
마케팅	김호철, 최성규, 김진형, 정명한, 김모란, 노예련, 한태수, 임예설, 이윤숙
온라인 마케팅	김지현, 김채환, 박수경
판형	152 × 224mm
펴낸곳	범문에듀케이션 서울시 양천구 목동서로 211 범문빌딩, 우 07995
전화	02) 2654-5131 / 팩스 02) 2652-1500
웹사이트	www.medicalplus.co.kr
출판등록	2011년 1월 3일 제 2011-000001호
ISBN	979-11-5943-479-2 (03510)

아침에 먹는 사과 한 알이 우리 몸을 건강하게 합니다.

아침사과는 건강한 몸과 마음을 만들어주는 책을 만드는 (주)범문에듀케이션의 건강 실용서 브랜드입니다.

이 연구는 2021년도 계명대학교 비사연구기금으로 이루어졌음(과제번호: 20210683)